不登校能力

学校に行かない、不登校というのも能力の一つ

立尾信之介
上田 きえ

はじめに

◆不登校は能力だと思いませんか？

元高校教師の私が言うのも何ですが、学校に行かない、不登校というのも能力の一つだと思います。

【不登校能力】


命が学校に行かないと決断した。

「学校に行かないということを主張できる能力」をその子どもは持っています。

命は、生きようとする。その命が、学校に行くことを拒否しているとしたら…。

親・保護者の理屈で考えると、

「学校には行かなければ行けない」

「学校に行かないことは、悪いこと」

ですよね。

頭から「学校に行け！」「早く起きなさい！学校に遅れるわよ！」「勉強しないと

立派な大人になれませんよ」では、子どもは反発するし、学校に行っても命の喜びはありません。

何のために学校に行くのかがわからない。
今、学校に行くことが、その子にとって最善最良の選択なのか？
子どもが学校へ行くことで、うれしいのは誰か？

親が安心するだけで、子どもにとっての喜びではない。
学校に行かなくて困るのは、親。
主語は親なのです。

「15歳までは、中学校へ行かなければいけない」という常識の中で、違和感を覚え、声を出して、そして、態度で「学校へ行かない」ことを示します。

「自分の気持ちを素直に言えるなんて、すごい！」と思いませんか？
その子が、自分の欲求を主張できることを認めてあげましょう。
法的に言えば、【子どもの人権】の中にある【意見表明権の保障】です。

その【意見表明権の保障】をした上で、自分自身に問いかけます。
1、将来どんな人間になりたいか？
2、将来どんなことをやりたいか？
3、将来どんな生活をしたいか？

そのために今、何をすればいいのか？を一緒に考えます。
簡単に答えは出ないし、答えが変わることもあるかもしれません。
1、やってみて、好きなことはなにか？
2、やってみて、興味関心が持てることはなにか？
3、やってみて、得意と思えることはなにか？
4、やってみて、他人よりうまくできることはなにか？
5、真剣にやってみたら、問題意識・創意工夫が湧いてくるかどうか？

これらを一緒に話して考えてみるのも一つの方法です。

「やってみる」こと、「見ているだけ」ではダメ、体を使ってやってみることが大切です。

◆私がなぜ、不登校について、それを能力とらえるようになったのか？

きれいごとでなく、なぜ、私がこう思うようになったのかをお話しします。

背景として私のことを少し書くと、私が子どもの頃は、皆勤賞とまでは行きませんが学校が楽しかったたし、勉強も面白かったです。まあ、優等生の方で、そのまま大学までいきました。その後、高校教師を10年間勤め、退職しました。その間、定時制高校やいわゆる教育困難校、全日制普通高校と3つの学校で勤務しました。

ドラマにあるような熱血教師をイメージし、エリートのラインで来た私は、最初の2校で、教師としての挫折を味わいます。教科書が読めない子、授業に来ない子、1時間ジッとしてられない子、非行問題など色々ありました。

日本語が通じない?!　そんな思いもしました。

教師1年目、ある研修会である先生の出会い、

「それは教師の問題なのだ。生徒の問題ではないのだ！」

と気づき、一念発起します。

徐々に、子どもたちとの信頼関係ができて、授業も成立するようになりました。まあ、武勇伝は色々ありますが、そこは割愛して、要は熱血先生で、生徒と一緒に夕日に向かって本当に走っていました。

担任を持つ中、「不登校」の生徒もいました。当時は、「登校拒否」と言っていました。「登校拒否」と呼ぶか、「不登校」と呼ぶかの、過渡期でした。

不登校のある女生徒が私に言いました。
「先生の気持ちもわかるし、学校に行くのがいいのもわかる。でも、行けないんだよね。そこをわかったほしい。これ以上、私を追い詰めないでほしい。何かあれば、必ず先生に相談するから…。私の思いを尊重してほしい」

私は、彼女の想いが心の叫びに聞こえました。当時の私は、何とか登校できるようになればと思いから、その子に色々と学校に来れない理由を訊いていました。
「わかった。必ず、何か事を起こす前には、電話をくれよ」
と言い、それ以上、学校に来るようには言わないようにしました。

自殺や家出を想定してのことです。

その後、私は学校と親から、指導力のない先生と非難されることになるのですが…。

同じ時期、男生徒の不登校児も抱えていました。

この子は、引きこもりで部屋に鍵をかけて、親とも話をしません。家庭訪問に行っても、「帰れ！」と一言怒鳴るだけで、あとは返事もありません。

ある日、私は勝負に出ました。
「てめえ、話くらいしろよ。明日もう一回来るからな。その時、鍵が開いていなかったら、ドアぶち壊して、部屋に入るからな！覚悟して待っとけ！」
私は、ドアの前で怒鳴りつけました。
そして、横にいたお母さんに
「お母さんも覚悟しておいてくださいね」
と子ども聞こえるような声で言いました。

翌日、家庭訪問に行くと、ドアは閉まっていましたが、鍵は開いていました。部屋に入れてもらい、そこから、少しずつ話をしてくれるようになりました。

２か月くらいたったある日、彼は学校に来ました。そして、何とか卒業して行きました。

先程の女の子は何回か電話をくれましたが、結局は退学しました。

この２つの経験が私の不登校に対する考え方のベースになっています。

その数年後、現状の教育の枠では、本当の教育はできないと思い、私は教職を去りました。

その後、人生いろいろあって、数年後、知人から、「子どもが不登校になっているので、相談に乗って欲しい」と言われました。

親の話を聞き、その後、その子と二人きりで話をし、「学校に行かなくてもいいけど、勉強はしろ！」と伝え、家庭教師をすることになりました。

家庭教師を引き受けて、一番はじめにやることとは、親と徹底的に話すことです。

私は、最初にこう言いました。

「お子さんに、学校に行くように強く言うのは、絶対にやめてください。１年や２年くらい遅れたからといって、人生、何なんですか。それくらい待ってあげてください」

そして、子どもにはこう言いました。

「学校に行きたくないのなら、行かなくてもいいと俺は思っている。だけど、勉強は絶対にしないといけない！とも思っている。勉強は、社会人になっても一生続く。そのための練習が学校なんだ。でも、その練習は俺とでもできる。いいか！勉強は必要だ、学校に行くかどうかは、自分で決めろ！」

家庭教師は、子どもが好きな勉強から始めていきました。教科書や問題集をやるときもあれば、新聞やニュースを使うこともあります。運動をすることもあるし、お話だけで終わることもあります。

不登校というのも能力の一つ、「学校に行かないということを主張できる能力をその子供は持っている。学校に行くことを拒否している」ととらえているので、「俺にはできなかった能力を君は持っている。君はすごいなー」と、ことあるごとに、そのことを誉めていました。

その後、口コミで何人かの不登校の子どもの家庭教師をし、みんな1年から2年の間には学校に行けるようになりました。原因はいろいろありますが、いじめというのもありました。

親には、『教室の悪魔』（山脇 由貴子著 ポプラ社）という本を読んでもらいました。

もしこれが起きているとしたら、子ども自身がどこかでこれが起きると肌で感じて、緊急避難的に学校に行かないとしたら…。

「親が子どもの味方じゃなくてどうしますか?」と親に話して、どーんと構えてもらうようにしました。

一番気を使ったのは、罪悪感の払拭です。親も子ども、学校に行っていないことに罪悪感を持ちます。要は、主語が子どもか親のメンツなのか?どうかです。

ただ、児童相談所から一時保護されると大変なので、そこは上手くやるように話をしていました。

今の時代、書店に行けば、本があふれているし、パソコンで検索すれば、いくらでも情報が入手できます。情報のないときには、「国をまとめるためにはこれぐらいの基礎知識が必要です」と国定教科書は必要でした。

今は、教科書を文科省が国定教科書なんかをつくる時代ではないと思います。

今の子どもたちは、賢いです。損得勘定もできます。最近の不登校だった子どもの多くは、私たちとは、違う次元で考え、疑問を持っています。

学校という枠では生きていません。でも社会は、学校という枠にはめます。子どもたちは自信喪失しているようにも思います。

以前より、【不登校能力】というタイトルで本を出版したいと思っていました。当初は、私が執筆しようかと思っていましたが、現場から長く離れているし、時代も変わったのもあり、私の思う【不登校能力】に賛同してくれる現役で活動している方に執筆してもらう方がいいだろうと思い、立尾信之介氏と上田きえ氏のお二人の活動家に出会うことができ、執筆をお願いしました。

2024年7月7日

万代宝書房 釣部人裕

目次

◆教育を受けるのは国民の義務？
◆塾通い？
◆「学ぶ」と「教える」

第一部

立尾 信之介

第１章　現状を受け入れる

『学校に行けない状態って？』

フリースクールを運営していると、多くの方から、「なんで学校に行けないんだろう？」と質問されます。

フリースクールを開校する前は、通信制高校の教員をしていたので、たくさんの子ども達（高校生年代）に質問してきました。

「どうして、学校に行けなかったの？」

多くの子ども達は、一応の理由を話してくれます。

・朝、起きれなくて…
・学校の人間関係が悪くなってしまって…
・学校に行こうとすると体調が悪くなる…
・先生と合わなくて…

このような理由を話してくれます。

真面目で繊細で優しい子が多いです。学校に行けなくなる理由はそれぞれです。でも、その現象の背後には共通した要因があると考えています。

その要因を、真正面から受け止めることで不登校をどう捉えるかが見えてくると思いますので、まずはその要因を明らかにしていきたいと思います。

1. 学校との狭間で苦しんでいる子の現状

私が質問してきた高校生たちは、自分が不登校になった現状をある程度受け入れ、前向きに進もうとしている子たちでした。

でも、フリースクールを運営するようになって、小学生や中学生、そしてその保護者の方々が葛藤している様子を感じるようになっています。

例えば、

・男性の先生に抱っこされて学校に行く
・トイレに隠れて出てこない
・教室の前で足が止まり、涙が出てくる
・教室の机の下に隠れる
・体調不良と闘いながら無理やり登校している

親御さんも苦しむ子達の姿に、「本当にこれでいいのか？」という葛藤を抱えながら、学校や関係者の方々の要求と板挟み状態で悩んでいます。

親御さんの気持ちにも寄り添いたいと思いますし、何よりも子ども達が無理して、頑張っている姿に心を痛めてしまいます。

※頑張ること自体は嫌いではありません。自主的に成長のために頑張ることは人生において必要なことだと思っています。

ただ、無理やり我慢を強いるということに疑問があります。

まずは、学校に行けないという状態が「怠惰」や「個人の特性」とは別のところにあるということを理解することからです。

2. 不登校の理由を聞いても意味がない

文科省の調査でも、不登校の理由が調査されています。

この調査からも、自分自身でたくさんの子ども達に質問してきた経験から考えても、子ども達に「学校に行かなくなった理由」を聞いても仕方がない、と思うようになりました。

それには、２つの理由があります。

①質問が子どもを責めることになる

一番大きな理由は、質問をすることでその子を責めることにつながってしまうからです。

「どうして行けなくなったの？」という質問には、「行けないこと＝普通ではない」という意味を含んでしまいます。

ほとんどの子は、学校に行けなくなった自分を卑下しています。

僕は、どんな理由があろうとも「大丈夫だよ」という姿勢で接したいと思っています。

また、理由を聞いてもどうしようもない場合が多いことも事実です。

過ぎてしまったことを取り戻すこともできません。

だから聞くメリットよりも、聞いてしまうことで「不登校になってしまった自分＝よくない」という印象を与えないということを優先しています。

②表面的なことの背景が、より重要だから

そして、２つ目の理由が、子どもたちは表面的なことや言いやすいことしか教えてくれない上に、大切な心の奥底の想いを言語化できないということです。

子ども達（大人もそうですが…）が話す内容は表面的なものにしか過ぎません。その状況になってしまった背景がより重要です。

「朝起きれない」背景は何か？
「体調不良」の背景は？
「いじめ」の背景は？

これを当事者の子どもたちに聞いても、本人たちですらわからない、という状況です。また、「何が嫌で学校に行かないのか？」という質問をする場合もあります。

嫌な原因を取り除けば行けるようになるという考え方です。でも、子どもたちは言いやすく大人が納得するようなことしか言いません。勉強、友達関係、先生に関すること等々、嫌な原因のほんの一部を伝えて大人を納得させるという方法を取ります。

例えば、仕事に遅刻した原因を上司に問われたとき、前日の仕事のミス、夜ふかし、朝寝坊、渋滞など様々な要因が絡んでいて、本質は別のところにあるにも関わらずに、言いやすい一つの原因しか答えないという状況に似ています。

子どもたちが学校に行けなくなる原因を大雑把にまとめると、子ども達や先生方の心理的ストレスが大きいことが背景だと思います。現在の学校がストレスを生みやすいシステムになってしまっているということです。

そこで、前向きに学校のストレスを取り除いていこう、という話をしたいと思います。

3．学校を行きやすい場所に変えていく

学校をストレスの少ない、行きやすい場所にしたいです。どうすれば、行きやすい場所になるのか、考えてみました。

私は２つの条件を満たす必要があると思います。

「楽しく」…心理的ストレスの少ない状態
「意味のある」…多少の心理的ストレスにも耐えられる状態
の２つです。

①　楽しい学校

今は、勉強などの競争で優位な子が楽しいと感じやすい雰囲気です。そんな子は声

が大きくなり、力も強くなります。それ以外の子は、劣等感、疎外感に苛まれていま
す。

自由や個性を尊重すると言いながら、競争によって真逆の教育が行われているのが
現状です。また、子どもに対して最初から、勉強しない存在、決まりを守らない存在
として扱うので過干渉になりがちです。

結果、自主性を失くし、個性を失くし、他人の目を気にしすぎることになります。

このような環境では、いい人間関係は築けません。過度な競争や干渉をなくし、自
由で個性を認める環境をつくることで、心理的ストレスを軽くし「楽しく」あれると
思います。

② 意味のある学校

今は受験競争のためにたくさんの知識を覚えることを要求されます。
だから、受験が終わるとほとんどの知識は役目を終えてしまいます。
競争なので、知識が広く深くなりますが、すべての子達にそれらが全部必要でしょ
うか？

学校で得られる知識のほとんどが社会では役に立たない、という現実を子どもたち

は知っています。
「どうして勉強しないといけないの？」と多くの子どもたちから聞かれますが、現在の勉強の価値は「受験」以外に見出せません。

社会の変化が激しい時代です。少なくとも10年後から20年後の社会を見据えた教育を考えていけたらと思います。しかし、時代によって変わらない普遍的なものもあります。

いちばん大事なのは「心」の教育です。「心」という土台があって知識や能力が積み上がるからです。過度な競争や干渉によって、「心」が損なわれることが多いのが今の学校です。

それに悲鳴を上げているのが、学校に通えない・通わない「不登校」です。

『学校に行けなくなる・嫌いになる理由』

さらに、子どもたちが学校から離れている理由について考えてみたいと思います。

不登校になる個別の現象として、いじめ、教師との相性、病気などがあります。

前述の通り、それは本質ではないと思っています。

学校がそのような現象が生まれやすい場所になっているということが本質です。


なぜ、学校に行けなくなるような状況になってしまうのか、わかりやすく3Kという話を聞きました。

「管理・競争・空気」の3つのKです。順番に詳しく書いていきます。

1．管理

「刑務所みたい」

ある中学生が、学校のことをそのように表現していたそうです。

私がサポートしていた小学生はほぼ毎日「学校を爆破したい」と言っていました。


子どもたちは、学校にいるほぼ全ての時間を「管理」されています。

やるべきことが多いこと、ルールが細かすぎること、みんなと同じことをすることなど、自由がありません。ひどい場合は、子ども同士で「管理」しあっています。

私は、ルールを守ることよりも、どうしてそのルールがあるのかを考えることの方が大切だと考えています。自分の行動は、自分で選択するものです。

そんな自由が、特に学校にはありません。今の学校は、大人の思う通りに子どもたちを動かしたいという思いが強すぎます。教室の静かさや見た目の揃っている感じを重要視するので、子どもらしさや活発な雰囲気よりも統制された美しさが優先されていると感じています。

見た目の美しさのためには、子ども達を「信頼」できないので、「管理」するしかないようです。

最近は、親も現場の先生も厳しい「管理」を受けているので、そのしわ寄せが子どもたちにきているのかもしれません。

2．競争

学校では、常に比べられて育ちます。特に偏差値（勉強ができるかできないか）は重要な数字のようです。

いい大学に入って、いい会社に入って、出世して…偏差値の次は、給料や会社の規模を競い合います。終わりなきレースを走っているかのようです。

運動会の徒競走や多くの部活動の競争のことを言っているわけではありません。スポーツや音楽など、得意なことややりたいことで、自分の技を成長させ、競技として競うことは大切なことだと思います。競争があるから、より大きな成長につながると思っています。

正当なルールでお互いに納得している競争は、どんどん楽しんでやっていいと思います。

そうではなくて、他人からどう見られるかを競い合う受験や就職の競争です。

これらは、学校に入学した時点で急に始まります。子どもたちの希望や特性は関係ありません。

そして、学力が人間の価値であるかのように扱われます。

だから、それを辛いと感じる辛い子たちが生まれてしまうのだと思います。冷静に考えてみると、半分の人間は平均以下です。

「競争」している限りは、勝ち続けないと幸せを感じられません。

「競争」ばかりしていると、半分の人は幸せにはなりません。

物が満たされてしまった現代では「競争」に変わる価値観が必要です。

できれば、人との競争ではなく、自分が豊かになるために勉強を続けられるような子どもたちを育てていければと考えています。

３．空気

最後のＫは「空気」です。同調圧力と言い換えることができます。

「管理」と「競争」で自分をなくした人は、自分で行動を選択することが怖くなります。そして、みんなと同じことを選択するようになります。

どうやって、人間が育つのでしょうか？

子どもたちが反発する先生の言葉の一つに、「みんなと同じことができるようになりなさい」という言葉があります。

また、小学校の高学年や中学生になると、子どもたち同士で牽制し合うようになります。純粋な気持ちで授業中に発言しているのに、「目立とうとしている」と言われるようになることもあります。

同調することで、純粋さや積極性、優しさなどその子の持ついい面が失くなってしまいかねないと危惧しています。

先生方も同様で、授業やクラス運営で目立つことを避けています。特異なことをすると、周りの先生から敬遠されたり注意されたりします。無難に同じような運営をしていれば、何かあったときにも責任を問われないし、言い訳もできるからです。

このように、学校全体が周りに気を遣うような構造になっています。

周りに気を遣うことは大切なことですが、今はあまりにも過剰になり過ぎていて、自由に人間らしさを発揮できるような余地が本当にありません。

そのことが子どもたちを苦しめる一因だと思います。

自分で考える機会がなくなり、思考力や判断力を失い、自立できなくなる構造から

「脱出」しようとしているのが“不登校”なのかも知れません。

『発達障害の実際』

ここで不登校とも関連のある「発達障害」についても述べたいと思います。

20年近く前、教員になろうと大学で勉強していたときに初めて発達障害を知りました。ＬＤやＡＤＨＤという言葉ができたり、法律ができたり、発達障害の黎明期でした。その後、理解が進むにつれ福祉面でも教育面でもいろいろな対応策が取られています。しかし、対策が進む反面、発達障害と言われる子が増えています。

家庭によっても捉え方が様々あるため、「発達障害の検査を受けてください」と学校で言われることで学校に不信感を持ち、通わせたくなくなるという家庭もあります。

「発達障害」の子とそれ以外の子に分けることで枠からはみ出してしまう子たちを教室から除いてしまおうという対策のように思われます。

そのような排他的な雰囲気も、子どもたちが学校から離れてしまう一つの要因です。

1. 発達障害として子どもを分けることへの疑問

小学1年生の男の子の話です。

4月に小学校に入学し、しばらくは保育園のときと変わらずに落ち着いて過ごしていました。でも、6月頃から友達とトラブルになりやすくなり、教師の指示を聞こうとしない、挙句の果てには教室で暴れだしてしまう…。

そのようなことが頻繁に繰り返されるようになりました。相次ぐトラブルに、先生方も困り果て、その子の発達に関して疑問を抱くようになります。そして、お母さんに対して、「一度、発達障害の検査をしてみましょう」と診断を進められます。

そして、本人も家族も悩み苦しむことになっていきます。

ここで、発達障害の診断が下りると、

「2学期からは特別支援学級で、少人数の中でより柔軟な教育を受けましょう」

という話がなされます。

1年生に限らず、2年生や3年生でも、このようなケースは起こり得ます。

- 人間関係のトラブルが多い
- 先生の指示を守れない・聞いていない

・集団行動が苦手

落ち着きがないＡＤＨＤのような子はわかりやすいので、トラブルは未然に回避できます。人間関係を築くのが苦手なアスペルガーのような子が上記のような例に多いと思います。

ここで、医師の診断について少しだけ述べます。

医師が診断をすれば、ちょっとした傾向を指摘されるのは当たり前です。すべてが平均という人はほとんどいません。

健康診断を考えてみればわかりやすいと思います。

遺伝子が全く違う人間なので、体格も違う、体のつくりも違う、食べているものも違います。

・ちょっと血圧が高いだけ
・体重が少しだけ平均オーバー
・運動をする習慣がない

ちょっとしたことで、お医者さんから注意を受けます。

子ども達も検査を受ければ、様々な傾向が現れます。お医者さんがそのような傾向を指摘するだけです。

私は、発達障害という名前で子ども達を分けることは、大人の都合だと考えています。本人にとっても、ご家族にとっても、周りの子ども達にとっても、誤解を与える制度だと思います。

一番問題なのは、本人の自己肯定感が下がることです。

それ以外にも、周りの目が特別になること、家族に心配の種を生むことなどデメリットがたくさんあります。

そのように枠の外に置かれてしまった子たちには、学校以外の道で生きていく、という選択肢があってもいいと思います。

2. 行き過ぎた管理教育が発達障害を増やす

自然界がそうであるように、人間の個性も分布しています。

平均身長が170㎝だとすると、170㎝付近の人は多いですが、140㎝の人もいれば2ｍを超える人もいます。

発達障害と言われる症状にも分布や傾向があり、個人によって全く違います。だから、ごく少数の子ども達は本当に日常生活に支障が出るくらいＡＤＨＤだったり自閉症だったりするでしょう。そうではなくて、今回話したいのは日常生活にはさほど支障がないけど、学校や職場に適応できないという方々です。

そのような人たちは、20～30年前までほとんど問題にされていなかった人たちです（多少は個別にあったと思いますが、社会や周囲の人が上手く受け止めていたのだと思います）。

しかし、時代の変化とともに社会の寛容さが失われていきました。

「ゆとり教育」が失敗とみなされ、型にはめるような教育を目指したからかもしれません。原因はいろいろと考えられますが、社会も学校も管理思考が強まっています。

その管理からはみ出す子ども達を「発達障害」と呼ぶようになりました。

だから、学校の枠を外して自然の中で過ごすと、不適応行動はほとんどなくなってしまいます。そもそも自然界はイレギュラーしかありません。暑かったり寒かったり、雨が多かったり少なかったり、毎日毎年同じ日はありません。だから、ある程度のゆとりを持って過ごす必要があります。

社会でも、ゆとりが大きければ多様な個性に対応できます。フリースクールでも当てはめる枠がないので、発達障害の症状はそこまで目立つものではなくなります。

学校教育の行き過ぎた管理制度が、発達障害と診断される子どもたちを増やしていると感じています。

3．「二次障害」が問題の原因

「発達障害」で問題とされている子ども達の問題となるような言動は「二次障害」が原因です。「発達障害」自体は、多動や言語の遅れ、注意散漫など多少困ることはありますが、どれも小さなことです。

問題となる言動を生む「二次障害」とは、発達障害による苦手なことに対して、問題となる言動を生む「二次障害」とは、発達障害による苦手なことに対して、

「みんなと同じことをしなさい！」
「ちゃんと聞け！」

「何度言ったらわかるの！」

と大声で何度も注意したり、怒鳴ったりすることを繰り返し、子ども達の心が追い詰められて起こる問題です。

追い詰められた結果、
・他人を攻撃すること
・教室から逃げ出すこと
・先生の言うことに反発したりすること
という問題を起こしてしまいます。

これが、教室で起こる「二次障害」です。


「発達障害」は「発達の問題」に過ぎません。他人よりも遅れたりできないことがあるだけです。それだけでは問題にはなりにくいです。

「発達障害」が原因ではありません。学校の制度が、大人のプレッシャーが、子ども達を追い詰めているだけです。


特別支援教育として少人数の特別な教室で勉強していても、プレッシャーがほんの少し軽くなるだけで、なくなったりはしません。だから、根本的には学校内では解決しにくいようです。

でも、年齢を重ねることで、自由に行動することができるようになります。管理の枠が外れるので、二次障害が現れにくくなります。

（管理の強い職場や家庭環境だとずっと二次障害は残ってしまいます…。）

私は、現状の学校制度が子どもや教員から自由を奪い、二次障害を助長していると思っています。だから、学校制度から外れた教育に取り組んでいます。

「発達障害」に限らず、すべての子ども達に対して、優しい対応や大人の寛容さを大切にして教育を創っていきたいと思います。

もし「発達障害」と子どもが言われて悩んでいる親御さんがいたら、子どもを変えることではなく、教育の枠組みを変えてみることをおすすめします。

それだけで、問題行動が可能性に変わっていくからです。

第2章　不安を見つめ不安を疑う

『勉強しないと不安？』

不登校になると必ずと言っていいほど「勉強」「学力」への不安が起こります。

私が運営するフリースクールでは、勉強の時間は設けていません。やりたい子はするし、やらない子は全然しません。

勉強しない子を見ると、多くの人が「大丈夫？」と不安になると思います。

フリースクールを運営していて、親御さん、学校の先生方、行政の方から勉強させた方が良いんじゃないかという声をいただくことも事実です。でも、子どもたちの様子を見ていて、その必要はないと思っています。

私達大人は、

「どうして、勉強しない子を見ると不安になってしまうのか？」を考えてみたいと思います。

1．勉強できないとどんな不安があるのか？

まずは、勉強しないことが、どんな「不安」につながるのか、について考えてみます。

・将来の選択肢が狭まる（大学に行けない、資格が取れないなど）
・大学に行ったり、資格を取ったりできないので、給料が低い
・将来、なんとなく困ってしまうような気がする

などでしょうか？

他にあれば教えてほしいです。

（私自身がそんなに不安に思っていないので、あまり浮かびませんでした…）

どれも「思い込み」に近いと思いますが、一つ一つ丁寧に検討していきます。

①将来の選択肢が狭まる（大学に行けない、資格が取れないなど）

「学校の先生になりたい」
「お医者さんになりたい」
「パイロットになりたい」
と思ったときに、大学に行けそうな学力がないからあきらめてしまうのではないかという心配です。

正直、それくらいであきらめてしまうような「夢」「やりたい仕事」は、本当の「夢」「やりたい仕事」ではありません。

いろいろな経験や見たり聞いたりした話でも、子ども達が「本気」になれば、学力なんてすぐに伸ばすことができます。

これからは心の時代なので、「とりあえず勉強しなさい！」と促すよりも、「なんで勉強するのか？」をその子なりに納得した上で取り組むことが大事になってくると思います。

小学校3年生くらいまでは、「勉強＝楽しい」が一番ですね！
（できれば一生楽しめるような教育に変えていきたいです）

さらに私は、「無理やり勉強させるほうが可能性を限定している」とすら思っています。

本人がやりたいと心から望んでいれば別ですが、宿題や補習、塾や習い事などで大切な子ども時代の多くの時間が割かれていること…。

本当に子ども達にとって大切なことは何なのか…大人として考えていきたいことです。

②大学に行ったり、資格を取ったりできないことで給料が低い

教員だった頃、担任していた高校生に対して、卒業後の進路を考えるときに生涯賃金の話をよくしていました。

「高卒よりも大卒の方が、５０００万円くらい多くもらえる」という話です。

仕事も価値観も多様な時代です。いろいろな選択肢があります。進路の決め方も様々です。

生涯賃金のデータは、大学に行かせたい、なんとかして勉強させたい先生方に都合のいいデータなのかもしれません。

勉強や学歴を大切にしすぎると、お金のために働くというような価値観を生みやすいとも感じています。

そして、多くの子が就職してから悩み苦しみます。勉強よりも大切な「生き方」や「働き方」を学ばずに、考えることなく成長してきたからです。

「仕事」や「お金」というテーマは、人間の一生に関わることなので、勉強よりも大事です。

勉強という「手段」で、「仕事」や「お金」の目的を考えることが、教育の大きなテーマだと思います。

そのような教育で、子どもたちの未来の幸せをつくっていきたいです。

③将来なんとなく困ってしまう

人間の脳はネガティブに作られています。生存のために必要だからです。

だから、なんとなく将来を悲観的に捉えがちです。多くの人が言っていれば尚更です。

「勉強しなかったら、将来困るから…」

自分も言われて育ってきたし、子ども達に対してもよく言われている…。

だから、いつの間にか「勉強しないと困る」と思い込んでいるのかもしれません。

私は、勉強はあくまでも能力の一つでしかないと考えています。

サッカーが上手、ピアノが弾ける、英語が話せる、料理が好き、歌が上手い、100m走が速い、国立大学卒業、このような感じで、いろいろな能力と同列です。

（就職するときもこうであって欲しいと願います）

大事なのは、勉強でも習い事でも趣味でも、自分でどう考えて熱中してきたか、です。そして、さらに大事なのは、自分はどんな人間でどう生きたいのか、です。

・嘘をついてもいいのか、悪いのか
・人のために働くのか、自分のために働くのか
・お金を何のために稼ぎ、使うのか

与えられた能力をどう使うかを考えるような機会を作りたいなぁとも思っています。本当に将来困ってしまうのは、大人が決めてきたレールに乗って何も考えさせられずにきた子達です。

勉強よりも大切なものがあると信じているので、フリースクールの子達に勉強の時間を設けていません。勉強よりも大切なものが確立してくると、勝手に自分に必要な勉強は進んでいきます。

このときの吸収力が子ども達の可能性の豊かさを表しています。
だから、勉強しないことを不安に思うよりも、自分の道を生きている子ども達を頼もしく感じています。

2. 人間として本当に大切なもの

勉強ができることはその子の本質ではない、能力の一部にしか過ぎない、ということを述べてきました。

大切なのは、その生まれ持った能力の活かし方です。

頭がいいという能力で、多くの人を騙して、自分だけお金持ちになることはいいことでしょうか？

お医者さんになって、たくさんの命を救う生き方の方が人間的だと思います。

勉強だけではなくて、いろいろな能力も同じです。

運動が得意なら、その運動で多くの人を笑顔にできます。

芸術でも多くの人を癒やしたり楽しませることもできます。

なんにもできなくても、笑顔でいるだけで周りの人は安心します。

勉強ができないからといって、得意なことがないからといって、自己否定させてしまうことが一番嫌いです。

どんな能力があろうとなかろうと、人としての価値はみんな同じ

「生まれたときから、人間は完璧な存在」

最近見た演劇で登場人物が言ったセリフです。

長所があってもいいし、なくてもいい。短所が目立ってもいいし、多くてもいい。自分という人間を誇らしく思えるような教育環境を創れたら、みんなで尊重し合える優しい学校ができると思っています。

勉強ができるかどうかで否定されることが多い教育は、子ども達が可愛そうだと思うので、変えていきたいです。

まずは、大人が勝手に感じている「勉強への不安」を疑ってみてはいかがでしょうか？

『学校に行ってなかったときに子どもが親にしてほしかったこと』

不登校に関する集まりに参加したときのことです。

不登校だった子ども達の話を聞いてきた先生が、「その子達が当時、親にしてほしかったことって何だったでしょう？」という話をされました。

学校に行けない、という立場になると考えやすいかもしれません…。

その答えは、「親自身の人生を生きて欲しかった」とのことです。

子どもには子どもの人生があり、親には親の人生があります。

子どもに対して、心配もせず、期待もしない、というスタンスです。

1．子どもに勉強しなさいと言って勉強しますか？

自分が子どもだったときを思い出してほしいです。

親や先生から「勉強しなさい」と言われて、喜んで言う通りにしていたでしょうか？ 少なくとも私はかなり反発していました。


「不求心」という言葉があります。他人や環境に多くのことを求めない、という心です。実は「不求心」が幸福感のカギでもあります。

求めすぎると期待通りにならなかったときに「不満」がたまります。それが、続くと大きなストレスになりいろいろな影響を起こしてしまいます。だから、はじめから「求めない」。求めても与えられるものはないからです。


でも、親は子どもにいろいろと求めてしまいます。

これが過剰になるとお互いに辛くなってしまいます…。

「一切を信じて、子どもの人生だと割り切る」ことが大切です。

「遊んでばかりでもいい」

「病気で苦しむよりはいい」

と決して子どもに求めないことです。


それを子ども達も望んでいます。

そして、それが不登校の解決の近道でもあると思います。

2．求めない心が幸せを生む

「天は幸福を求める心のないところに幸福を運び、禍を避けたいと願う心に禍を運ぶ」という言葉があります。

なぜか、運命はそのように進むそうです。

「幸福」という結果を求めすぎると、その「過程」が辛くなるのかもしれません…。

だから「過程」こそ、リラックスして楽で幸せな状態であることが自然です。求めずに、自分の生き方を守って一生懸命生きたらいい、その結果として幸福に生きられます。

自分の子どもも含めて、他人が思うように動かないことでイライラすることほどもったいないことはないように思います。

多少の禍があるからこそ、人生が面白く、人間的にも成長できると思っています。

さきに紹介した「幸せを求めると幸せは逃げていく」という言葉は、「人間の人生、自然の摂理は、神秘的で、人間の智巧は何の役にも立たない」という言葉で締められています。

子どもを大人の思い通りに動かそうとすることは、自然に背く人間の浅はかさなのかもしれません。

子どもたちを自然のまま、あるがまま受け入れることから不登校の解決はスタートします。

3．子どもの自立心をひたすら信じて

どうやったら子どもたちの姿に一喜一憂しなくなるでしょうか？

どうやって子どもの人生と自分の人生を割り切れるでしょうか？

どうやって子どもに「求めない」心を持てるでしょうか？

私は「求めない」という姿勢は「信じ切る」と決めることが必要だと思っています。大切なのは「決める」ということです。

信じると決めるから、求めないし、期待しないし、過剰な心配もしない、という姿勢を貫くことができます。

もちろん、信頼を裏切られるような困難は何度も起こるでしょう。

でも、一度決めたら、子どものことを信じ切って欲しいです。

そして、子ども達がどんな状況にあろうと「きっと大丈夫」と思い込みます。

人間はイメージの力を持っているので、イメージ通りの未来を創ることができます。

心配しているとその心配している通りの未来がきます。楽観しているとその通りの未来がきます。

だから、大丈夫と信じ切ると、大丈夫なように進んでいきます。

子どもが健康に元気に過ごしていることに感謝しながら、親自身の人生を充実させることに注目して大丈夫です。

『見えない将来への不安を解消するために』

前述したように「このいろスクール」では、勉強するかしないかは子ども達次第です。

それには2つの理由があります。

①無理やりやらされるよりも自分からした方が断然身になるから
②勉強以上に遊ぶことや熱中できることに価値を見出しているから

そうは言っても、未知の世界です。私も含めて、将来がどうなるか、まったく不安はないわけではありません。子ども達の成長に時間がかかるので、結果が出るまでに何年もかかってしまうことも不安を加速させる要因かもしれません。不安を抱えながらも、今をどのように過ごしていくのか、について考えてみたいと思います。

不登校を不安に思う親御さんの参考になれば幸いです。

1．自分は経験していないことだから不安

先日、小学3年生の女の子のお母さんから
「こんなに早くから学校に行っていないなんて大丈夫かなぁ？」

という相談を受けました。

そのお母さんも中学生のときに行かなかった時期があったらしく、自分は中学生だったけど、まだ小3なのに…。という思いがあったようです。

1年生のときから、かなり無理をして登校させていたらしく、毎朝のストレスは相当なものだったそうです。

弟や妹の保育園の準備や自分の仕事の調整、本人の説得など、限られた時間で思い通りにならないことをいくつも抱えないといけません。

学校に行き渋る子を持つお母さんの現実は相当大変です。

子どもが大きければ一人で家にいることも可能ですが、小さい子の場合は学校に行けなければ居場所自体がありません。

お話を聞いたときに、「何か力になれないかなぁ」と心から思い、現在運営するフリースクールの意義も感じられました。

まずは、お母さんをはじめ、不登校の子のご家族の不安を取り除くことからはじめます。

2. 学校に行かないことへのデメリットは?

前述した小学校3年生の女の子は、学校に行けば楽しそうに過ごすそうです。でも、行くときの嫌がり方が大変です。

だから、そんなに無理して行かせなくてもいいのかな、とお母さんも考えています。すると、今度は、「行かないことで将来どうなるんだろう?」という不安がついてきます。

なかなか不安を取り除くことは難しいですが、少しでも心を軽くできるように「学校に行かないことのデメリット」を考えてみたいと思います。

皆さんはどんなことを思いつきますか?

私は、一つしか思い浮かびませんでした。

(私の場合は、フリースクールに通っている子と学校に行っている子を比べて考えました。)

それは、「学力」です。でも、家や学校ではない場所で学習している子はそのデメリットもありません。

学校以外の場所で過ごしてもそれほどデメリットはないのかもしれませんね…。

ただ、今はまだほとんどの子が学校に行くので、みんなと同じ行動をしているという「安心感」はあるかもしれません。

だけど、安心感くらいかなぁというのが正直なところです。

不登校の「不安」は、幻想なのかもしれません。

ただの漠然とした「不安」でしかありません。

このように具体的に「何が不安なのか？」を考えると、心が少し軽くなると思います。

３．不登校リフレーミング

冷静に考えていると、不登校はそんなに心配することでもないことに気づきます。

イメージが先行して不安に感じているのかもしれません。

実際、学校に行ってても行かなくても、誰の１秒先の未来でさえもわかりません。

だから、心配しながら日常を過ごすよりも、少しでも安らかに穏やかに過ごせるように「リフレーミング」という手法を紹介します。

「リフレーミング」とは、事実は変えようがないので、解釈（捉え方）を変えようとする方法です。

雨だから憂鬱になるのか、ランランな気分になるのかは自分で選べるということです。子ども達の状況を周りの大人がどう受け止めるかで、その子達の将来に大きな影響を与えます。できれば、いい方向に進むような受け止め方ができれば、明るい未来が待っていると思います。

「学校に行かない」という事実をどう捉えますか？

・将来が心配
・勉強が遅れる
・友達ができないんじゃないか？

と不安に捉えるか、

・先生に怒られることが減った
・絶対にいじめられない
・自分らしく明るい気持ちでいられる

と前向きに捉えるか。

無限に解釈は変えられますので、ぜひ「リフレーミング」してみて欲しいです。

「リフレーミング」もメンタルトレーニングの一つなので、トレーニングによって簡単にできるようになります。

次章以降では、さらなる「リフレーミング」として、不登校自体が素晴らしいという解釈を紹介していきます。

第３章　解釈を変える

『学校に行けないことは悪いこと？』

学校に行けないことで、
・自分を否定する
・自信を失う
・周りに引け目を感じる
・劣等感を持つ
・勉強が遅れちゃう…
という、後ろ向きに思ってしまうことを止めたいと思っています。

事実は変えることが難しいので、まずは「解釈」を変えます。それが、現実をいい方向へ向かわせるからです。

今まで出会ってきた多くの子達が、自分自身を責めています。その心の状態が、体に影響を及ぼして、朝起きれなくなったり、頭痛や腹痛になったりします。

だから、私はどんなときでも「今の自分で大丈夫」と行けない自分を責めないようなメッセージを発信しています。

１．不登校への誤解

まず、不登校に対する誤解を解いていきます。

学校に行けない子が、
・怠けている
・楽をしようとしている
という誤解があります。

最近は減ってきたと思いますが、経験上、おじいちゃんやおばあちゃん世代に多いような気がしています。

「行かせない親が悪い」という発言にも繋がります。
現状は、そんな軽いものではありません。
子ども達は十分にわかっています。
・学校を休むことがどういうことなのか
・勉強の大切さ
・がんばらないといけないこと

わかった上で、それでも「行けない」ということを理解して欲しいです。

だから、行けないことに罪悪感や劣等感を持ってしまいます。


決して怠けているわけではなくて、行きたくても行けない、行かないといけないとわかっているけど足が動かない、体がおかしくなる…。という状態になってしまうのです。


ここがわからないと、冷たい言動になり、さらに追い込んでしまう結果になるので、解決できるものも解決できなくなってしまいます。

怠けてゲームをしたり、アニメを見たりしたいわけではありません。

学校に行けないので、やることがないからゲームやアニメで時間を潰しているだけです。

2. 改善・成長と言うが…

不登校を解決するためには、罪悪感や劣等感を除くところからです。

でも、そのことはお構いなしに
・学校に戻そう

・みんなと同じように
という改善がすぐに求められます。

これではますます罪悪感と劣等感が増すばかりです。
僕は、いつも「本当にそれでいいのかな？」と思っています。

みんなと合わせることで、その子の持っているいいところが失われてしまうこともあります。

学校では〈頑張ること・我慢すること＝成長〉だとして、評価されます。でも、それは心に蓋をして、自分を失くしてしまうことにもつながると思います。もちろん、心のまま過ぎて「わがまま」「自分勝手」は困ります。

要はバランスの問題です。

だから、学校に行きたくないという子は、
「このままだったら、自分が自分じゃなくなっちゃうよ…」
ということを教えてくれていると感じています。

私の運営するフリースクールを利用する一部の子どもたちは、学校とフリースクールに行ったり来たりしています。

自分の心で感じて、自分で考えて、そうしています。

両方のいいところ取りができます。

そのようなバランスも認められていいと思います。


「本当に改善になるのか？」

「成長ってどういうことだろうか？」


このようなことを根本から捉え直す必要があります。

3．学校に行けないことが悪いわけではない

それでは学校に行けないことをどう「解釈」するか？

これは、その後の人生をどう生きるのか、を考えることです。

私のフリースクールでは、自由に過ごし、たくさんの人との関わりの中で人間関係を学び、自分はどういう存在かということを自覚していきます。

「たくさんの人と交わりながら、余裕のある時間の中で、自由に過ごす」ということが大切です。

今は、大人の都合で子ども達の本当の成長の機会（自分を知り、自分で考えるという機会）を奪っているように思います。

大人が価値を感じることを子どもたちに提供し、「嫌だ」と言う子は「問題だ！」と取り上げている状況が不登校の現状です。

その結果、子ども達が苦しみの声を上げています。

「発達障害」という枠組みは、子ども達の成長にとって、本当に良くないものです。

これも、大人の都合で生み出された新しい枠組みです。子ども達を特別視するのではなく、時代に合わせた教育を創っていくこと、20年後、30年後を見通した教育を創っていくことが求められています。

そのためには、今の教育を否定し、凝り固まった価値観を捨てないといけないと考えています。だから、「不登校」が問題なのではなく、「不登校」を生んでしまうシステムが問題なのです。

「不登校」は問題という「解釈」から、これまでの枠組みを超えた新たな「可能性」という希望の「解釈」で教育を変えていきます。

『成績が悪いことはいいこと！』

「成績」に関しても「解釈」を新たにすることができます。

通信制高校に勤めていた頃、

「自分は勉強できなくて、ダメなんです」

「頭悪いから、できません」

「頭良くなりたい」

と、多くの生徒が言っていました。


子ども達は学校しか知りません。でも、大人になったときに、勉強ができるとか学力があるとか、必要だと感じたことがどれくらいあるでしょうか？

少なくとも、子どもの頃に比べれば、国語や数学の成績なんて、気にしなくても大丈夫、と思う割合は高いのではないでしょうか？


実は、「勉強なんてできない方が可能性は大きい」と言うこともできます。


子ども達や周りの大人の方々の視野を広げることができれば幸いです。

とにかく、若いうちから「自分はダメだ」と自己肯定感を下げないようにすることがポイントです。

１．勉強はできなくてもいい

成績よりも「自分で自分のことをどう思うか」がとても大事です。

子ども自身が勉強できない自分をどう思っているか？

親御さんが子どもの成績をどう捉えているか？

私は、勉強できないことによって、子ども達の「自己肯定感」が失われていないか、を危惧します。

「勉強ができない自分＝ダメ人間」のような捉え方よりも、「勉強ができない自分＝でもなんとかなるかなぁ」という捉え方が望ましいです。

親御さんも、「勉強しない子ども＝ダメな子ども」よりも「勉強しない子ども＝でも得意なことには熱中するよなぁ」という視点を持っているかどうかが大切です。

つまり、捉え方で決まるということです。

勉強ができる子は、高い自己肯定感を持っています。

勉強ができない子は、自己肯定感を失います。

だから、自己肯定感を失わせないために大人が「捉え方」を変えなければいけません。

「勉強はできないけど、すごい可能性を持っているなぁ」

「学校の成績は悪い方がいいかもしれない」

というような捉え方を持って、柔軟に捉えていく方が人生を豊かにできると思います。

2．勉強ができないことの可能性

勉強が苦手であったり、成績が振るわなかったり…。子ども達のそんな現象に対して「リフレーミング」してみます。できるだけ前向きに捉えます。

そのためにいろいろな人物の事例を紹介します。
①ナポレオン
「吾輩の辞書に“不可能”という文字はない」という名言で知られるフランス皇帝です。世界で一番伝記が出ているという偉人です。

ナポレオンの少年時代は、兄弟の中で一番成績が悪かったそうです。学校の先生は、頭の中にはれものがあるのか疑っていたくらいお手上げ状態でした。

②ニュートン
万有引力の法則で知られる科学界の偉人です。ニュートンもナポレオンと同じように成績がよくありませんでした。クラスでビリから２番目の成績で、そのことが原因でいじめられていたそうです。

③西郷隆盛・東郷平八郎
日本人にも落第組の偉人は多くいます。代表的なのは幕末の偉人西郷隆盛です。同時期に活躍した坂本龍馬も学問は苦手だったことで有名ですね。東郷平八郎は日露戦争でロシアのバルチック艦隊を破った連合艦隊司令長官でした。

彼の成績も振るわなかったそうです。成績が悪いからといって、勉強が苦手だからといって人間として劣っているわけではありません。

子どもにはそれぞれ得意・不得意があります。学校の勉強のようなことが苦手なだけです。

勉強以外に持っているいろいろな可能性を捉える視点を持つことが大切です。

3．学校の成績に憂える必要は微塵もない

歴史を調べてみると、多くの偉人が鈍才・凡庸だったと言われています。秀才や英才でなければ成功したり偉業を成し遂げたりできなかったということはまったくありません。むしろ、出来のよくない、またはとっても出来の悪い少年や青年が大成している例が多いと思います。

学校の成績に表れるような器用さや利口さを持ち合わせていると、ごまかしたり軽薄になったりします。

でも、「鈍才」だと…。ごまかさずに、おっとりと時間をかけて習熟していきます。

大人はそれを気長に、責めることなく、可能性を信じて待ち続けます。そうすればきっとその子は大成するはずです。

『幸せのための教育を追求する』

学校の成績がいいから幸せになるかと言ったら、全くそうではありません。
学校の成績が振るわないからと言って、みんなが不幸になるわけではありません。

人生を幸せに過ごすかどうかは、成績とは関係がありません。

だから、成績を追い求めるのではなく、子どもたちそれぞれの幸せな人生を創るための教育を考えたいと思います。


人には「本質的要素」と「付属的要素」があります。

「本質」は人格や習慣です。

「付属」は技能や知識です。


昔の教育は「本質」の上に技能や知識を育もうという取り組みでした。

今は「付属的要素」のみを重要視しています。その証拠に、小学校・中学校・高校は大学の予備校になってしまっている現状があります。


技能や知識は目に見えるので、わかりやすいという特徴があります。

だから、そちらに目がいきやすくなってしまいます。でも、私が大切にしたいのは幸せのための「心のあり方」です。

つまり、人の「本質的要素」を育みたいのです。

1. 幸せになるには？

一人ひとりの「幸せ」のために教育を行うことに異論はないと思います。

では、幸せのためには何が必要なのか？


ここで意見が分かれそうです。大きく2つに分けて考えてみます。

幸せのために
①人格や習慣など「本質的要素」が重要なのか？
②技能や知識など「付属的要素」が重要なのか？
どちらを優先させた方が、幸せに近いのか？


もしかしたら、国や民族、文化や宗教などによって考え方が違うかもしれません。

私は日本人なので、もちろん日本人として日本人の幸せを考えます。

日本では、伝統的に「本質的要素」である人格や習慣を大切にしてきました。

それが「和の文化」です。基本的には2000年以上、奴隷制度もなく、女性差別もない、平等な文化で平和に暮らしてきました。

みんなで助け合って幸せになろうという文化を維持してきたと思います。

だから、人を見るときに「何ができるか」よりも「どんな人間か」が優先されます。

学歴や給料は二の次で、人間性を大切にします。

正直か、思いやりがあるか、明るいか…などなど、人としての印象を大事にしました。

反対に、学歴が高かったり給料が高かったりする人は、いかがわしい目で見られることもあります。

どんなことに「幸せ」を感じるのか、深く考えないといけないと思います。

２．日本人の文化には合わない教育

今の学校教育は、西洋の考え方がベースになっています。

社会も日本のいいところを失いつつあるように感じます。

教育では、少しでもいい点数が取れるように、人と比べて優位になるように育てられます。

社会でも、どれだけ稼いだかで評価されるようになっています。

個人主義、実力主義で、他人と競争して勝つように教育されています。

社会に出ても、チーム内での競争、他社との奪い合い、利益の大小で評価されます。

そこには、日本人的な人間性がマイナスに働いてしまうのかもしれません。


学校では、このような窮屈さが「不登校」の増加の大きな要因だと思います。


根本的に、家族や地域のつながりを大事にする日本人の遺伝子や文化には合わないからです。

特に物質面では困らなくなった現代では、競争してまで誰かに勝とうという強い動機は生まれにくいようです。


心を無視して、個人の偏差値に重きを置く今の教育で苦しんでいる子ども達が多いのは事実です。

そのような子ども達の存在が、教育を見直すいいきっかけになります。

功利主義、損得勘定から脱却した、日本人に合った人間育成が求められています。

３．日本人に合った教育とは？

私自身もそうなのですが、競争が苦手です。

スポーツや勉強で一生懸命には取り組みますが、人に勝つためではありません。

自分が楽しいと思うから、少しでも上達したりわかるようになったりしたいから、やっている感覚です。


そこに、競争が入ってくると冷めてしまいます…。そんな性格に「弱さ」があるのかもしれませんが、なんとしても他人に負けたくないという気持ちにはなれないのです。


だから、社会人になったときも、いい評価を得たい、そのための業績を上げなきゃ、という心境にはなれませんでした。

特に、他人を犠牲にしてでもという考えには大きく抵抗しました。

反対に、数字には表れないような生徒のためになる活動（生徒とボランティア活動したり、生徒がやりたいと言ったイベントを一緒に盛り上げたり）に一生懸命になっていました。

競争に勝つと、とても目立ちます。

でも、勝った1人の背後に何十人、何百人の人の存在が隠れています。

競争しちゃうと、最低でも半分以上の人が負けてしまいます…。スポーツやゲームだったら、本人も納得して基本的には自分で選んでその競争に身をおいていますので問題はありません。


でも、学校は自分では選べません。

勝手に競争の中に入れられ、望んでもいないのに人と争わされます。

個人間の競争では「みんな」が幸せになることはできません。

だから、昔の日本では「和」を大切にしたと思います。

「できる人」も「できない人」も人として大切にされ、差別されることはありませんでした。少なくとも奴隷のような扱いを受けるような違いはほとんどありません。

「できない人」も安心して自分のできることを一生懸命やることで誰かの役に立つことができました。そのような人をこそ尊敬するような、大切にするような文化を育ててきたからです。

日本では、それぞれの違いを認めつつ、技能や能力で人を差別しない。そんな安心した空気があるからこそ、みんなでがんばって協力して暮らしてきました。

体格では及ばない外国人選手に、一体となって挑む日本人チームがいろいろなスポーツで勝つことができるのは、そのような「和」の精神が日本人に合っているからです。

教育も偏差値を競い合い、学力でランキングされるような能力主義では苦しすぎます。

人格を育て、自律した習慣を育み、優しい社会をつくれるような人材に育てるような日本式の教育を、日本人の遺伝子が求めています。

不登校の子どもたちの増加が教育システムや社会の考え方の変化を促してくれています。

そして、その変化のヒントは私達のご先祖様が育んできた日本文化にあります。

第４章　子どもたちは【生きる力】を持っている

『子どもたちの夢って何？』

私は「生きる力＝未来への夢や希望」だと思っています。
明るい未来を想像できれば、生きる力が湧いてくると考えているからです。
その生きる力が成長への向上心を生み、毎日の活力になっていきます。

だから、社会や学校で夢や希望を抱けるかどうかをとても大事だと考えています。
でも、高校の教員だった頃、子ども達と面談をする中で困っていたことがあります。

日本財団が行った「18歳意識調査」第20回 テーマ：「国や社会に対する意識」（9カ国調査）の中で「自分の国の将来について」という質問への回答を表した図です。

この図から、どれだけ日本の若者が希望を抱けないのかがわかります。

現場でも、私が高校の教員だった頃、子ども達と面談をする中で困っていたことがあります。

それは、

日本財団「18歳意識調査」
第20回テーマ：「国や社会に対する意識」（9カ国調査）

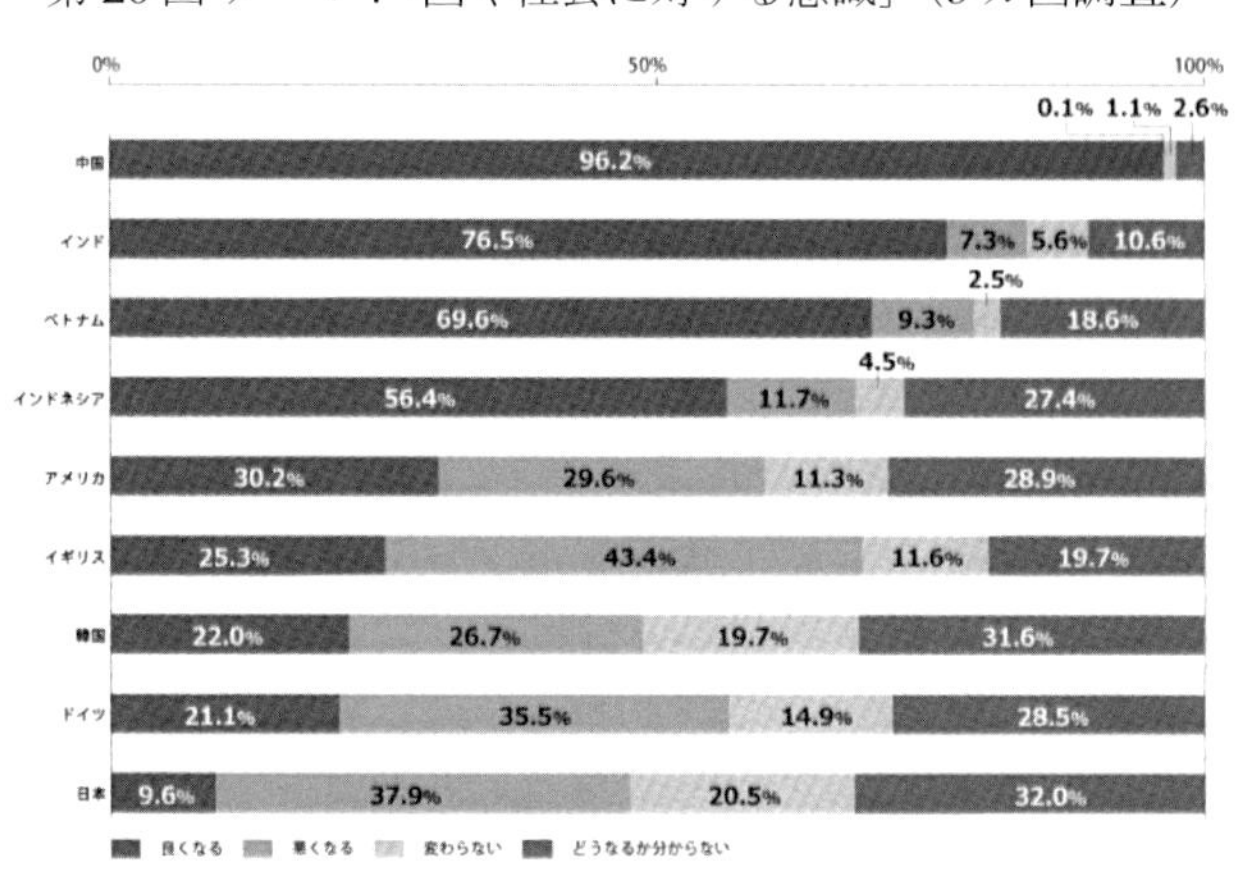

「やりたいことがわからない」
「夢がない」
「働きたくない」
という生徒たちの声でした。

無理やりやりたいことを作れるわけでもないし、やりたくないところへ行っても意欲が出るわけでもないし…。

絶対に夢がないといけない、というわけではありませんが、どんな子も夢を抱けるようなおおらかな雰囲気は必要だと思います。

今は、大人も子どもも夢を抱きにくい社会です。

・やりたいことを考える余裕がない
・諦めてしまっている

・目の前のことで精一杯

子ども達から生きる力を奪っている大きな原因が社会や学校にあります。

だからこそ、どんな子も気軽に夢を抱けるようにしなければいけないと思います。

1. 夢は「ティッシュを配る人」

作家の福島正伸さんのエピソードを紹介します。

ある小学校で、福島さんが子ども達に夢を聞いたときのことです。

「駅前でティッシュ配りをしたい」

「スーパーのレジが打ちたい」

「共稼ぎの夫婦になりたい」

と、本当に夢なのか？と考えてしまう内容でした。


そのことを小学校の校長先生に聞いたそうです。すると、その校長先生はこのように答えました。

「子どもたちには、仕事の中身はわからないかもしれません。

でもそんなことは彼らには関係ないんです。

だって、彼らは、仕事をしている大人たちの姿や表情を見ているだけだからです。

その大人たちが笑顔で仕事をしていたら、それを夢にするんです。

ですから、きっと駅前でティッシュを配っていた人は、笑顔で生き生きと働いていたんじゃあないかなぁ。

子どもたちはそういう姿を見たんだと思いますよ。」

子どもたちが何によって夢や希望を抱くのか？

とても考えさせられるエピソードです。

2．子ども達が憧れるのは？

福島正伸さんの話からわかるのは、「子ども達の夢になるのは、大人の輝く姿」だということです。

子ども達は、アンパンマンになりたい、プリキュアになりたい、アイドル歌手になりたい、スポーツ選手になりたい、と憧れを抱きます。

それは、かっこいいからです。仕事の内容や待遇は関係ありません。

大人がどんな姿で、仕事をしているかどうかが大事です。

子ども達にとって大切なことは、「どんな仕事をするか？」ではなくて、「どんな姿の大人になりたいか？」です。

子ども達にとって、お父さんやお母さん、先生方は近すぎてかっこよくない姿も見えてしまいます。

でも、ヒーローはかっこいい姿しか見せません。

「人のために、自分のできることを一生懸命行う」

「難しいことにも、誰かのために人生をかけて挑戦する」

そんな大人の姿が子ども達の夢になります。

3．輝く大人の姿が子どもの夢になる

ここで、自分自身を振り返ってみます。

自分は、「子ども達の夢になれているか？」という問いかけです。

その問いかけを通して、子ども達が憧れるような姿でありたい、生き方をしたい、と強く思うようになりました。

でも、一人でできることには限界があります。

だから、
「多くの人の働く姿を子ども達に見せたい」
「子ども達にたくさんの大人と出会ってほしい」
「かっこいい大人の話を聞く機会を作りたい」
とも考えています。

それが、子ども達の夢になるからです。大人の仕事観や人生観が問われることになります。

しかし、これも昔から日本人が大切にし、その姿で伝えてきたことです。
不登校の子どもたちにこそ、憧れるような素晴らしい大人と出会う機会を多く作ってあげたいと思います。

『違う個性があるから素晴らしい』

子どもたちには生まれたときに両親に与えられた能力が備わっています。

その能力を個性として発揮することで、人生が輝いてくると思います。

しかし、現在の画一的な教育では、持って生まれた個性を発揮できるのは一部の子どもたちだけです。


先生や教科書の言う通りに考えたり行動したりしなければ、評価されないからです。

多様な個性を尊重するような社会を作っていく必要があります。


日本人は、多様性に寛容で、個性を尊重し合うことが得意な民族だったと思います。

教育が上手くいっていないのは、多様性を育みにくい環境に陥っているからです。

子どもたちと真剣に向き合うと「多様性」という現実と向き合うことになります。

「多様性」を尊重すること、が本当に求められます。

１．正解とは？

私が「多様性」と向き合った最初の機会は、青年海外協力隊としてアフリカのケニアという国で活動したときでした。

ケニアで活動する前まで、
・約束を守るのは当たり前
・時間を守るように行動することが大切
・嘘をついてはいけない
という日本人にとって当たり前のことは、世界中の人も同様に考えていると思っていました。

でも、ケニアの人たちと仕事をしたり、遊んだりして、
・約束なんて守らないのが普通
・２時間遅れまでは問題ない
・１秒前の言葉は覚えていない！？
という、日本人とは全く違う価値観を持っているということを思い知りました。

そして、それはケニアやアフリカだけではなく、日本以外のほとんどの国では日本

人ほど几帳面ではないということを知りました。

自分で正解と思っていたことが、自分以外の人には正解とは限らないという事実がそこにありました。

本当に衝撃的でした。

この体験のおかげで「当たり前なんてない」ということを実感できたと思っています。

だからこそ、多様な個性に寛容でいられる今の自分があると思っています。

2. 違いを受け入れる教育

この経験があるから、違いを排除してしまう今の教育や社会に違和感を抱いています。

例えば、
①男女の違いを受け入れないこと
男女関係なく「さん」づけで呼ばせる学校や女性も男性のように働くよう促す「男女共同参画」などがあります。

②枠からはみ出す子の発達障害
特別な支援という建前で、普通から排除する特別支援教育
管理やルールの徹底という名のもとで、個性を奪われていく現状を挙げればきりがありません。

多様性や個性の尊重を履き違えている人が、制度を作ったり運用したりする人にあまりにも多すぎます。

そこにも不登校の急激な増加の大きな原因の一つがあると思っています。

多様性とは、個性を奪って、みんな同じようになることではなく、どんな個性の人でも豊かな人生を送れるようにすることです。

決して過剰に配慮して、生きづらさを増すことではありません。

3. 本当の「個性を大切にした教育」とは？

私が「個性を大切にした教育」を語るときに大切にしている教えがあります。

細井平洲という江戸時代の方の言葉（意訳）です。

人を育てるには「菊好きの菊の育て方」のような方法ではいけません。

「百姓の菜大根の作り方」のようにするべきです。

「菊好きの菊の育て方」は、花が見事に揃っている菊ばかりを咲かせようと願うために、枝の多いのをもぎとったり沢山のつぼみを摘み捨てたり、また、伸びたのを縮めたりして、自分の好みの通りにして、咲かせたくない花は花壇に一本も立たせようとしません。

これに対して、「百姓の菜大根の作り方」は、一本一株も大事にして、一つの畑の中には良い出来のものもあれば、大小不揃いがあったりしても、それぞれ大事に育てて、良きも悪きもみな食用に活かすものです。

この二つの育て方の違いをよくよく心得るべきです。

人の才は一様ではありません。一概に自分に合うように育てよという偏った心持ちでは教えられる人も耐えかねます。

たとえ、子ども達の言動が自分の価値観と違っても、豊かに育つような教育をしたいと常に考えています。

そのような教育の原点は、価値観の違う人達とたくさん出会ったことでした。

自分が正解を持っているわけではないということに気づくことができたからでした。

だから、他人に優しくなれたと思っています。

子ども達には自分の考えとは違う人たちとたくさん出会う機会をつくりたいと思っています。

みんな違うのだから、考え方が違って当然です。

家庭の考え方が違うのも当然です。

先生の考え方が違うのも当然です。


「あの先生はいいと言っていました」

と子ども達に言われても、

「先生たちの考えが違うのは当たり前だよ。あの先生はいいと言ってても、僕はこういう理由でダメだと思うよ。」

と、自分の考えで教育を行えるような教育環境が必要です。


たくさんの子どもたちが「僕たちの個性を認めて！」と言っている気がしてなりません。

『心明るく望み清く』

「心明るく望み清く」『青年の大成』（安岡正篤著）に書いてある言葉です。

日本人が昔から子ども達に備わってほしいと願っていた気質です。

私は「心が明るいこと」「望みが清いこと」は、幸せに生きるために一番大切なことだと思います。

でも、今の学校教育はどうでしょうか？

1.「生きる力」を奪う教育

「生きる力」とは、教育を語る場面でよく出てくる言葉です。

文部科学省が定めた「生きる力」は、
①確かな学力
②豊かな人間性
③健康・体力
です。

この「生きる力」を育むために行っている教育はどんなものでしょうか？
・「勉強しないとこうなるぞ！」という脅し
・「みんなできているのにどうしてしないの」という否定
・「偏差値、受験、評価」という学力競争
・「このままだと大変なことになる」という後ろ向きな大人の姿勢
ほとんどの学校の様子です。

　このような学校の様子を３Ｋと呼ぶことは前の章で書きました。

「管理・競争・空気」の３Ｋで、空気は同調圧力のことです。


これが急激な不登校増加の大きな要因です。

この要因を知ると、不登校がいかに正常な子どもの反応なのかがわかります。

不登校までは行かなくても、仕方なく、嫌々ながら登校している子がほとんどです。


つまり「生きる力」を学校に奪われるから、学校に行きたくないと感じるのです。

僕が考える「生きる力」とは『夢や希望』です。夢や希望があるから「心明るく望み清く」という状態になれます。

　しかし、前述した通りほとんどの学校では、おどし・否定・競争・後ろ向きの３Ｋ

によって、夢と希望を奪い去ります。

夢や希望を持ち続けられるのは、勉強ができたり、先生に気に入られたりするごくわずかの優等生と言われる子達だけです。それ以外の子達は、努力が足りない、言うことを聞かない、不真面目等々後ろ向きに捉えられ、夢を持てなくなってしまいます。

「心明るく望み清く」という心の状態にするために、教育環境自体を「明るく清く」にする必要があります。

2.「生きる力」を養う教育

次に「生きる力」を養う教育について考えていきます。

前述の教育とは反対のことをやればいいだけです。

①管理しない

できるだけルールや口出しをしないように心がけています。

細かいルールを設定して守るように厳しくするよりも、子ども達の道徳観や倫理観を育てた方が心が明るくなります。

もちろん、子どもなので一線を超えることもあります。そんな場合は状況に応じて大人が線を引いてあげることで子ども達は自律していきます。

間違っても、今の学校のように子ども同士で注意し合うような（管理し合うような）関係性はいけません。

②競争しない

誰が言ったか知りませんが、大好きな言葉があります。

「人間が苦手なことを克服するには、あまりにも人生は短すぎる」

勉強が得意な人、スポーツが得意な人、話すのが好きな人、一人で遊ぶのが好きな人。

人間にはいろいろな個性があります。能力を競争させても意味がありません。

得意同士で、努力とメンタルを競い合うようなスポーツやゲームなどは、やりたい人たちがどんどんやればいいと思います。

そうではなくて、算数が得意な子とお絵かきが上手な子が英語を話せるかどうかで比べる必要はないのではないか、ということです。

平均点と比べずに、これくらいできればいいか、というもっと気楽なものでいいと思っています。

とにかくどんな能力を持っていても、人間としての価値はみんな同じです。比べることで劣等感を抱かせるようなことは子どもたちの成長にとって悪影響です。

③みんな違ってみんないいという空気

現在は、誰かが決めたルールと正解をみんなで目指しているような感じです。世界はもっと自由で、正解なんていくつもあるし、変わることもあります。

どこの学校も「個性豊かに」「一人ひとりを大切に」と言いますが、実際の雰囲気や空気が大事です。

大人でも「自由に」と言われても周りの顔色をうかがいます。周りに関心を持つ以上に自分自身を省みること、向き合うことが必要だと思っています。

３Ｋ教育と反対のことをすることで、夢と希望を抱き、前向きで肯定的な子ども達が育ちます。

「心明るく望み清く」が実現できます。

不登校の子どもたちを減らすために本当にすべきことは、大人が考えを改めることです。

決して、子どもたちを無理やり行動させたり、我慢させたりすることではありません。

3．どんな未来を創りたいのか？

現在の日本社会、つまり大人たちの心に「心明るく望み清く」がありません。

心は、将来の不安でいっぱい…

周りへの不満でいっぱい…

誰かと比べて自己否定でいっぱい…

望みも、自分のことばかり…

やっぱりみんなが「心明るく望み清く」の社会がいいです。

便利なものに囲まれ、美味しいものが溢れている満たされている社会なのにどうしてこうも苦しんでいる人が多いのでしょう？

不登校の子どもたちが、今の社会の歪みを教えてくれています。

子どもなので言葉にはできませんが、感覚的におかしさを感じることのできる感性豊かな子どもたちが不登校になっています。

言い換えると、子どもたちの不登校という行為は「心明るく望み清く」生きたいという叫びだと言えます。

第５章　不登校は日本の希望

『不登校解決のヒント』

不登校の子ども達は今の社会を新しくする力を持っています。
先に述べた偉人然り、台湾で大臣を務める方も既存の学校には行っていなかったそうです。

新しい仕組みで学ぶことで、または既存の仕組みで学ばないことで、新しい可能性を生みます。周りの大人がどう捉え、変わることができるかどうかで、希望に満ちた人生を送るかどうかに大きな影響を及ぼします。

1．天の岩戸開きの物語

不登校や引きこもりの対応について、日本の「神話」にヒントとなる物語があります。

「天の岩戸開き」という話です。

太陽の神様である天照大神（アマテラスオオミカミ）様が、弟の素戔嗚命（スサノオノミコト）の乱暴な行為に怒り、悲しみ、岩の洞窟に隠れてしまいます。

太陽の神様が隠れてしまったので、真っ暗になり、みんな困ってしまいます。

いろいろな神様が集まって、対策を相談します。でも、天照大神様はなかなか出てくれません。

最終的にどのようにして、岩戸を開くことに成功したのでしょうか？

それは…歌と踊りでした。

外の楽しそうな音楽とみんなの笑い声が気になって、天照大神様が岩戸を開いたという物語です。

不登校や引きこもりの状況とよく似ているので、「神話」に込められた先人の知恵を感じます。

そして、不登校や引きこもりの存在が日本社会を明るく元気に、夢と希望を抱ける環境に変えるチャンスを与えてくれています。

2. 心が先、結果は後

「神話」に限らず、私達の生活でも「心明るく」が大事です。

甲子園を目指す高校球児を想像してください。

最新の設備で最高のトレーニングをやっていても、
・練習後の遊びのことを考えながら
・「きつい」「だるい」とネガティブな気持ちで
・先生や先輩に怒られないように
という心で取り組んでも力は伸びないと思います。
反対に、
・仲間と甲子園に行きたい
・両親やお世話になった人に活躍する姿を見せたい
・野球が楽しい
という心で取り組むと、大きな成果につながるに違いありません。
「どんなトレーニングをするかよりも、どんな心で競技や日常に接するか」が一番大切だということです。

「未来への希望」

「大きな夢」

「楽しい生活」

「みんなの笑顔」

「平和な世界」

を思い描く力やイメージを持てるかどうかです。


そこには「自由」が絶対に必要です。「自らに由る」と書きますが、制限なく自らの心の通りに思い描く環境をできるだけ与えることで、自主性や明るさを養うことができます。（最低限の倫理観というか、相手のことを思いやる心を持った上での「自由」のことです）

今の教育は、自由を奪い、社会の制限の中で我慢しながら、他人よりも成果を上げることを良しとする環境です。

心は二の次です。
・やるかやらないか
・他人より上か下か

・損か得か
このような価値観を大切にしている環境です。

そうしないと厳しい社会を生き抜けない、という言い訳をしながら…。

※教育の歴史から今の教育があるのは仕方がないことです。
戦後、欧米の教育制度や社会制度が進歩的だと思い込まされてきたからです。

でも、日本の本来の教育は心を育てるものでした。生き方や志を大切にし、技能や知識はその子の個性に応じて身につけるような教育です。

これからは過去の教育も学びながら、目指す未来にふさわしい学びを創り上げないといけません。

3．3年間、不登校の子が学校に行こうかなって言った！

実際に私が教育現場でやっているのは、

「心が前向きになるような言葉をかける」ようにしています。

決して、相手の言動を変えようという言葉はかけません。

具体的には、子どもたちの夢や目標、やりたいことを聞いた場合、大人の立場として、アドバイスしたくなります。

「それは、こうやったほうがいいよ」と自分の経験を伝えたくなります。

私も自分の娘たちによく言ってしまいます。失敗してほしくないという親心です。

でも、それを聞いた娘たちはどう捉えるのか？

自分がやりたいと思って言ったら、大人から「それだと失敗するから、こうしなさい」と言われた…。

きっと、ワクワク感は削がれ、やりたい気持ちは減少し、つまらなくなっていると思います。

結果がわかってしまったサッカーの試合を見ないといけないような心境になっていると思います。

どっちが勝つか分からない、いつ点が入るか分からない、そんなドキドキ感が失くなってしまいます。

だから、

「きっと大丈夫。上手くいく」

「君ならできるよ」


好きなチームのサポーターになったつもりで、勝つことを信じて、応援するだけです。まずは、サポーターになること。相手がアドバイスを求めてきたら、コーチになってあげればいいと思います。

そのように「心」を中心にした教育ができる環境を整えると、子どもたちに面白い変化が生まれます。


例えば、3年間小学校に通っていなかった子が、

「学校に行ってみようかな」

と、それも2人が同時期に言い出したこともありました。


このように、子どもたちの心の岩戸も開いていきます。

心のワクワクを引き出すことができれば、素晴らしい能力を伸ばしていくことにつながります。

『明るい教育を取り戻すために必要な３つのこと』

今の日本社会の閉塞感を打破するのは、不登校の子どもたちの存在だと思っています。その子たちの想いに共感する大人が増えていくことが日本の希望になります。そして、今の子ども達が大人になったとき、今とは違った明るい社会がつくられていきます。

また、未来の子ども達には“不登校”という言葉すら存在しなくなるといいなぁと思います。

そのような未来のために、不登校の子ども達が教えてくれた教育で大切にすべき３つのことがあります。

1．心

社会でも教育でも「心」が忘れ去られている時代です。

人間らしさ、人情、おおらかさなど、数字には表れないので伝えることが難しいものでもあります。

でも、人の原動力は「心」です。

偏差値よりも自己肯定感を大切にします。学力よりも豊かな人間関係を築く力を養います。脅しで動かされるのではなく、自主的に動くために夢や希望を伝えます。人と比べるのではなく、自己成長を問います。

すべては、いろいろなできごとに見舞われる人生を明るく前向きに生きる感性を育てるための取り組みです。

教育は心づくりです。

2．夢

私は、人が明るく楽しく過ごすためには「夢」や「希望」が必要だと思っています。

今よりも未来の方がきっと素晴らしいものになるという希望です。

自分はきっと社会でかけがえのない存在になるという夢です。

しかし、学校でもニュースでも暗い情報が多いです。

暗い顔で仕事をしている大人も目立っているような気がします。

そんな情報の中で「夢」や「希望」を抱けるような教育が求められています。

そのための一つの方法が、たくさんの大人と出会うということです。

明るくて楽しそうな大人の姿が子どもたちの夢や希望になります。

ただ、「大変だから、頑張れ！」では、人生は辛いものになってしまいます。

「夢があるから頑張る！」の方が、自然なかたちだと感じます。

子どもたちに生きる力をつけなければ、という教育がなされていますが、「夢」と「希望」があれば、生きる力は自然に身についていきます。

まずは、大人が子どもに憧れられるような姿を見せること、そんな生き方を実践することです。

３．学

最後に「学び」についてです。

本来、人間は「学ぶ」ことが大好きです。知的好奇心や向上心を持っています。

でも、周りの環境や社会の状況によって、そのような心を失っていきます。

具体的には、人と比べられることや大人から評価されることによって、様々な価値観を形成するからです。

自分に価値がないと、自信を失ってしまったら、知的好奇心や向上心を抱くことはできません。だから、人と比べることと評価をしないことによって、知的好奇心と向上心を持っている状態を大切にします。

少なくとも、自己肯定感を下げるような関わりは持ちません。

そのような関わりの中で、自然と子どもたちはいろいろなことを学びます。

私は、人生のすべてのことが学びだと思っていて、その学びの優先順位も人それぞれだと思っています。

学校の勉強も学びであり、友達とお話するのも学びであり、遊ぶことも学びです。

学校の勉強が一番大切な子もいるでしょうし、コミュニケーションを大切にする子もいるでしょう。

遊びながら、目に見えない創造性や問題解決力、自主性を身につけてもいます。

大人がレールを敷くよりも、好きなことや得意なことを自主的に学んでいく方が、今の時代には合っています。

不登校の日々を「学び」と捉えることができれば、その時間は人生の中でかけがえのない時間になり、素晴らしい【能力】が花開くことでしょう。

『フリースクールという居場所』

最後に、私が運営するフリースクールで子どもたちの自己肯定感がもとに戻り、面白い【能力】を発揮している様子をご紹介いたします。

前述したような想いを胸に、教育を子ども達のためのものに取り戻し、日本人に合った教育を創るために日々奮闘しています。

学校に行っても行かなくても、発達障害の診断を受けても受けていなくても、個性豊かに自分の人生を生きています。

大人の敷いたレールの上ではなく、自分でレールを作るところから始める子ども達は、たくましく、心豊かで、生き生きとしています。

私たち大人が、子ども達が安心して成長し個性を発揮できるような社会を遺す、という想いだけです。

1．フリースクール開校の背景

私がフリースクールを開校した理由は大きく２つあります。

①不登校でも、問題ないと伝えたい

以前勤務していた通信制高校で、たくさんの不登校を経験した子ども達と出会ってきました。そのほとんどの子達が、無事に高校を卒業し、進学や就職を決めていました。

学校に行けなくても立派に自立することができます。

文科省でも、不登校経験者のその後が調査されています。

（少し古いですが…）

そこでもほとんどの子が自立できている調査結果が示されています。

文科省ＨＰの「不登校に関する実態調査」～平成18年度不登校生徒に関する追跡調査報告書～（概要版）という報告書に記載されています。

学校に行けないことで、必要以上に自分を責めて、自己否定しないことがこれからの人生を考えると一番重要だと思います。

家庭に対しても、必要以上に心配せず、子どものことを信じて大丈夫だと、安心できるようなメッセージを伝えたいです。

そのことが、幸せな人生をつくります。

②個性と自由を尊重した教育を実践したい

不登校になった子ども達は、現在の学校のシステムに合わせられないようです。

その子達は、学校では実施することが難しい教育を求めています。

それは、短所を矯正するのではなく、長所を思いきり伸ばす教育です。

また、自分と向き合い、自分の「心」にしたがえるような教育です。

9年間勤めていた通信制高校でも、その前に勤めていた中学校でも、集団の中で受験に合格できるようなバランスの取れた学力を身につけることを求められました。

学校というシステムの中では、その美しい言葉とは裏腹に、個性と自由をなかなか尊重できないのが現状です。

子ども達の将来を考えたときに、そのような教育こそ、彼らの可能性を拡げることにつながると思い、フリースクールで実践したいと開校を決めました。

2．私の目指す教育の方向性

だから、私は既存の学校ではなかなかできないことに挑戦しています。

多くの人が未知のことなので、不安や心配の声を耳にすることもあります。でも、実際に苦しんでいる子ども達を目の前にして見過ごすことはできません。

みんなが幸せに楽しく過ごせるような教育を創っています。

まず、短所や欠点を指摘し矯正するようなことはしません。

そして、長所に着目することで高い自己肯定感を維持できます。

自分の存在が認められるので、安心していろいろなことに意欲的に挑戦する土台を育成しています。やるかやらないかを自分で決めるので、自主性や自分で考える力が身につきます。

これらは、社会で自立する上で基本となる力です。
この力を、遊びながら伸ばしています。
実は、既存の学校では、多くの子ども達や親御さんが、正しいとされることができないことで苦しんでいます。
将来を不安に思い、自己否定に陥っています。だからこそ、未来に希望を持てる、自己肯定感を低くしないような教育を広めていきたいと考えています。

3. 子ども達の変化とこれから

毎日フリースクールに来る子もいれば、週1日だけ来る子もいたりと、利用頻度は子ども達の状況次第です。中には、学校と交互に来る子もいます。

開校して約半年で、個性と自由を尊重する教育で、子ども達も変わってきました。

・家で一人で過ごしていた子が、家より楽しいと、友達と遊んだり活動したりしています。

・家以外では話せなかった緘黙の子が笑顔で話すようになりました。

・自分に否定的だった子が、自分に自信をもった発言を多くするようになりました。

・学校で暴れていた子が暴れることなくコミュニケーションが円滑になりました。

これからは、個性に合わせた教育を更に充実していくために、たくさんの出会いや経験のための機会を増やしていきます。

「勉強をしたい」と言う子もいるので、基礎学力を保障する取り組みもつくります。

車の運転では、進みたい方向を見て運転します。

猛スピードで走るレーシングカーがスリップしたときも、戻りたい方向を見ないといけないそうです。不安や恐怖心からサーキット場の壁を見てしまうと、スリップから戻れずにぶつかってしまいます。

つまり、見ている方向に車は進むということです。子ども達も同じです。

「不登校」ばかり見てしまうと「不登校」のままです。

「発達障害」の部分を見ると困ることが多くなるでしょう。

反対に「可能性」や「能力」を見ると、その「個性」を発揮するようになります。

少しでも明日が今日よりも進歩するような方向性を見て進んでいきたいという思いでこれからの教育を創っていきましょう！

第二部

上田きえ

第1章　不登校

【現状】

２０２２年度、不登校児童生徒数が文部科学省の調査によると29万人を超え、過去最多を更新したことが明らかになりました。前年度比で22％増加し、この実態が浮かび上がっています。

不登校児童生徒の増加は年々懸念されており、国はスクールカウンセラーやスクールソーシャルワーカーといった専門家との連携など、様々な施策を実施していますが、なかなか改善が進んでいない現状が認識されています。そして、最も心配なことは、不登校から「ひきこもり」に繋がるケースです。

また、近年増加傾向にあるのは《隠れ不登校》とも呼ばれる「不登校傾向」にある子どもたちです。実際、「不登校」にカウントされる子どもたちの3倍とも言われ、新型コロナウイルス流行以降はさらに増加しているとされています。現場でも、《隠れ不登校》の子どもは学級に1～2人はいるとの印象があります。

【隠れ不登校？】

「不登校」の子どもたちに様々なケースがあるように、《隠れ不登校》にも様々なケースが存在します。では、実際にはどのようなものがあるのか、見ていきましょう。

教室外登校：学校の校門・保健室・校長室等には行くが、教室には行かない子ども

部分登校：基本的には教室で過ごすが、授業に参加する時間が少ない子ども（遅刻早退が１か月に５回以上など）

仮面登校Ａ：授業不参加型（基本的には教室で過ごすが、皆とは違うことをしている子ども）

仮面登校Ｂ：授業参加型（基本的には教室で過ごし、皆と同じことをしているが、心の中では学校に通いたくない・学校が辛い・嫌だと感じている子ども）

こちらを見ると、「はっ」とされる方が多くいらっしゃるのではないでしょうか？「うちの子ももしかして…」と。

現場でも、「この子は、《隠れ不登校》だな」という児童が多いのも実態です。実際に、「不登校傾向」の子どもたちが「不登校」に繋がらないために、学級で実践していたこともいくつかありますので、後に紹介させていただきます。

きっかけは小さなことであっても、ここ（隠れ不登校の兆し）にいち早く教師が気づき、家族も理解してくださらない限り、「不登校」になりうる可能性があるということを、親御さんにも知っておいてほしいと思っております。

ここで親御さんに大切にしていただきたいことは、「子どもの前では《信じている》を伝え、他では《疑う》目をもつ」ということです。大切なお子様のことですので、《信じたいや》《守りたい》が先行する気持ちはよく分かりますが、結果そこから大きな問題に発展する場合もあります。

ですので、少し視点を変え、子どもの本当の幸せを願い、1番の解決策を考えていくためにも、学校側の意見にもしっかりと耳を傾けることをお勧めします。

[例1]

体育が苦手なAくんは特に水泳に自信を持てず、

「苦手↓できない↓体育を休みたい↓行きたくない」という流れに陥りました。しかし、彼は正直に「水泳が嫌だから休む」と家で言えず、「体調が悪い」と理由をつけてしまいました。その結果、一日だけでなく続けて休むことになり、Aくんは自分が嘘をついていることに気づいた先生や友だちのことを心配し、ますます「先生や友だちに会いにくい」と感じるようになりました。こうした経緯から、学校への行くタイミングを見失い、「隠れ不登校」から「不登校」になりました。

子どもはよく嘘をつきます。自分を守るための嘘です。そこを理解していただき、共に解決法を考えることができたら違っていたかな？と思います。本当の理由がもし隠れているとしたら、表に出ている問題を解決したところで、次から次へとまた新しい「理由」が生まれます。

［例2］

ある女の子Bちゃんは、何の前触れもなく学校をポツポツ休むようになり、その回数が次第に増えていきました。その少し前から目の下のクマが目立ってきていましたし、制服のシワや汚れも気になっていたのですが、「夜遅くまでゲームしてた」ということで、寝不足⁈と思いながら様子を見ていました。

学校では、友だち同士の大きなトラブルも無く、班活動も楽しそうにしていました。

休む日が多くなり、心配でお家の方に連絡を取りました。お母様は第一声、「学校に行ってくれないから困ってます。私も仕事変わって疲れてるので…。」と。学校に届けは無かったものの、お母様は転職されていました。よく聞くと、深夜に働かれているとのことでした。「転職はいつ頃からですか？」と聞くと…ちょうどその子が休みがちになった時期と重なっていました。後に少しずつ分かってきたのですが、Bちゃんが学校から帰ると、お母さんが慌てて家を出ていき、帰ってくるのは朝方でした。休みの日も少なく、ゆっくり話をする時間も減ったそうで

す。

これまでは、学校から帰ったらお母さんがいて、寝るのも一緒だったけれど、お母さんが夜働くようになって、なかなか寝られなかったり、お母さんが帰ってくる深夜に目を覚ましたりと、生活も不規則になっていたようでした。原因は、ここにあったのです。「寂しさ」ですね。高学年になったとはいえ、子どもは子どもです。「母親」の存在は大きいです。「もう少し早く気づいていれば…」とも思いましたが、お母様

にも協力していただき、早期対応により、《不登校気味》で留まることができました。

［例３］

Ｃくんは、「長縄跳び」が苦手でした。毎年あるクラスマッチで、いつも引っかかって嫌な思いをしていたようです。クラスマッチの時期になり、練習が始まると体育の日に休むようになりました。

そして、体育以外の日にも休むようになりました。まだ一度も練習していないのに……。Ｃくんに足りないのは、成功体験です。長縄跳びができるようになれば、何の問題もないのです。私は、Ｃくんが休みの時にクラスの子達に話をしました。前日に日課を書きますが、体育のときは体育と書かない！と伝え、こっそりと暗号を伝えました。とにかく、このままでは休む回数が増えていくだけと思い、その前に何とかしなければ…。と、必死の策でした。

Ｃくんに嘘をつく形にはなりましたが、進級してから初めてＣくんと一緒に長縄跳びをする日を迎えました。急な日課変更を伝えると、予想通りＣくんは「お腹が痛い…」と言いにきましたが、周りの友だちがうまくカバーしてくれて、なんとか体育館まで連れてきてくれました。

そして、練習がスタートしたのです。みんながＣくんに跳ぶためのコツを教えたり、背中を押してくれたりしてくれました。何度か繰り返すうちに、上手く跳べるようになりました。Ｃくんから笑みが溢れました。

それから、Ｃくんが学校を休むことは無くなりました。このように、「苦手なことから逃げる」ことから始まり、そのまま…ということは非常に多いです。今回のケースのように学級全体を巻き込むまではできないにしても、親御さんに伝えて一緒に練習してもらうように促進したり、友だちに協力してもらうことは良い方向に向かうケースが多いので、早めに気付き、対策を考える必要があります。もちろんですが、親御さんの協力は必須になります。

【まさかうちの子が⁈】

あらゆる家庭で共通するのは、「こんな日が来るとは思わなかった」「人ごとだと思っていた」「うちの子は大丈夫だと思っていた」という言葉です。そう、だれにでも予測不能なのです。でも、どこかにはきっとサインがあったはずです。そのサインに早めに気づき、何とかしなければ…。現場ではよく、「〇〇さん、このままだと怪しいよね…」という会話が飛び交います。

やはり、担任や関係学年の教師には、毎日顔を見合わせることからなんとなく分かる部分があるのです。本人に聞くこともありますし、親御さんにやんわり伝える場合もあります。「そこは、すぐに家庭に電話するべきでしょう？」と思われる方もいらっしゃるかと思います。実際に、「なんで早く言ってくれなかったのですか？」と言われた経験もあります。しかしどうでしょう？「最近なんかあった？先生から心配の電話があったわよ。」「学校で嫌なことあったの？最近変よ？」など、軽く伝えれば…。閉ざされた心は、開くまでに時間がかかることでしょう。

吐き出せない思いがいっぱいで苦しんでいるのですから。傷つきやすくなっている心に、どうアプローチすべきでしょうか？家庭と学校が連携して取り組まなければ手遅れになります。

【向き合う】

お子様が不登校になった時、「なぜ?! どうして?!」一番訊きたくなることは、これかもしれませんね。しかし、グッと我慢をしましょう。「何があったの?!」や「どうして行きたくないの?!」といった質問は、今はやめておきましょう。この言葉は、状況を悪化させせます。

心の中は、「あったよ。だからこうなってるのに!」や「自分でもどうにもならないんだよ!」「もう、聞かないでくれよ!」といった思いでいっぱいのはずです。

まずは、「学校へ行かない」というお子さまの気持ちを、しっかりと受け止めてください。そして、目の前の問題と向き合ってください。学校で何かあったのではないか? いじめられているのではないか? 気になるのは分かります。しかし、この時期に大切なのは、原因追及ではありません。心にぽっかり空いてしまった隙間を、ご家族の愛でしっかりと包み、埋めていくことを大切にしていってください。

第２章　私の経験した不登校

【今ならきっと】

私には2つ上の兄がいます。彼は中学生の頃に不登校になりました。当時、私は小学生。兄の不登校のきっかけは「いじめ」でした。そのきっかけは「いじめ」でした。兄は常に温厚で、どんな人に対しても優しく、周りからは「お兄ちゃん、本当に優しいね。」と言われる存在でした。

私とは正反対の性格で、「本当に兄弟？」とよく言われたものです。しかし、そんな優しい兄が不登校を経て急変したことには、私も本当に驚きました。小学生の私は、兄が学校でいじめに遭った話を聞き、悲しみも感じましたが、最も強かったのは「悔しい」という気持ちでした。

最初の悔しさは、「なぜ兄をいじめるのか？」という感情でした。兄は家族として大切な存在です。しかし、いじめっ子たちの気持ちも一部理解できました。兄の性格ゆえに、「いじられやすかった」のだと思います。それが次第にエスカレートし、「いじめ」へと発展していったのでしょう。

次の悔しさは、「何でやり返さないのか？」という疑問でした。教科書を隠されたり、上靴がゴミ箱に捨てられたり、私は「私だったら、《ふざけるな！やった奴だれや⁈》って言ってやる！」と思っていました。兄がクヨクヨと悩んでいる姿に対する悔しさもありました。

３つ目の悔しさは、「学校」への疑念でした。先生たちは何をしているのか？　なぜ分かっているのに止められないのか？　どうしてもっと早く気づかなかったのか？　大人でしょ？　という不信感が芽生えました。当時、私はまだ6年生でした。なので、大人の事情なんて分からなかったですからね。

兄が不登校になってから、ニコニコ笑顔だった兄が悲しそうな顔に変わり、小さなことでイライラし、暴力を振るってくることもありました。その時の兄は目つきも変わり、まるで別人のようでした。人はここまで変わるのかと、恐怖を感じました。

今思えば、学校で抑えていた感情が家庭で爆発していたのだと考えますが、当時の私はただただ兄が嫌いでした。

思わぬきっかけで私は教師になりました。昔から教師になりたいと思っていたわけではありませんでしたが、今ではなるべくしてなったのだと思っています。現場に入る前は、「学校の先生なんて…。私が変える！」なんて意気込んでいましたが、実際に入ると色々なことが分かってきました。

あの時、先生たちを憎んだ自分が恥ずかしくなりました。もちろん、全てがそうではありません。知れば知るほど、「もっとあの時こうしてくれていれば…」という思いが湧いてきたこともありました。

教師になって気づいたことは、兄の凸凹です。今思えば、兄は発達障害だったのだ

と思います。発達障害の子どもは理解されず「いじめの対象」になりやすかったり、学校での「生き辛さ」を感じやすかったりすることが分かりました。私の兄も昔からマイペースで、周りに比べてできないことも多かったように思います。低学年の頃は誰かが面倒を見てくれたり、「仕方がないなぁ…」とか「○○くんだから」と見過ごされることも多かったのですが、高学年になると「いじる子」が出てくるでしょう。兄の場合もそうで、それがどんどんエスカレートしていったのだと思います。

「不登校」のきっかけは人それぞれですが、このような出来事から始まることもあると知っておいていただきたいです。現在、「発達障害とか、何でもかんでも病気にして、昔からいっぱいいたよ！」という声もよく聞きますが、増加しているのも事実です。薬を飲むとかではなく、「その子の特性を知る」ことが非常に大切だと考えます。《特性》が分かると、こちらの関わり方や受け止め方も変わってきますよね。

あの頃のことを母と話すことがありました。「そういえばお兄ちゃん、昔からできないことが多かったんよ。初めての子だったから、なんでもやってあげてたんよ。何もさせてなかったんだよね。今思えば…。だから分からなかったんよ。早くに色々気づいていたら、もっとできてたことがあったかもしれん」と。

今だと違っていたのかな？という思いもありますが、兄のおかげで私たち家族は、たくさんの学びを得ることができました。

今では、「お兄ちゃん、ありがとう！」そんな気持ちでいっぱいです。だって、一番苦しかったのは《兄自身》ですから。

【完璧なんてありえない】

今度は、できすぎて悩んだ「やりすぎる子」Ｂさんのエピソードです。彼女はお手伝いも、勉強も、運動も、どれも全力でこなす子でした。一見何の問題もない。それどころか、周りから羨ましがられるような…。

不登校の原因は、習い事の試合での敗北でした。「え？！　そんなこと？！」そう思われる方が多いでしょう。私もその一人です。「別にいいじゃない！　次頑張ろうよ！」それで済みそうな話しなのですが、それでは済まなかったのです。私は試合を見たわけではありませんが、Ｂさんの失敗がチームの結果に影響を与えたということはＢさんのその後の様子からすぐに分かりました。

その後、チームメイトや監督から嫌なことをされたり、言われたりしたわけではないと本人も言っていましたしね。しかし、「プツンッ」と何かが切れたのでしょうね。自信に満ち溢れた彼女の顔は、日を追うごとに暗くなり、まるで別人のようになっていきました。

彼女は何に対しても全力で取り組みすぎていたし、自分に厳しすぎたのです。そして、自分のした失敗を自分自身が許せなかった。失敗と言っても大したことではありませんが、彼女の頑張りすぎにより、目に見えないストレスが蓄積され、溢れ出たんですね。

こんなことって、大人になってからもあると思うので、ある意味私は早くて良かった…、と思っています。心の叫びに気づかず、それが表面化したことは本人にとっても、ご家族にとっても苦しかったと思います。それからの戦いもきっと…。しかし、ものは考えようです。まだ10代です。これからまた自信を取り戻していけば良いのですから。

【心の叫びは】

いつもニコニコ楽しそうに笑っていたＣちゃんの笑顔が次第に消えていったことにも、新しい習い事が影響していました。最初は毎日楽しそうに語ってくれていたが、朝は眠そうに登校し、授業中もボーっとする時間が増えていきました。ある日、そのことで声をかけると、「毎日練習で疲れている。」と話してくれた。そのことで、ご両親に電話したこともありましたが、「どの子も同じように頑張っているので、心配しなくて大丈夫ですよ！ちゃんと家でもよく寝ていますし…。」と言われました。

でも、私は分かっていました。

Ｃちゃんはもう体力の限界です。初めて会った時の印象とは大違いで、制服の襟がくしゃっとなっていたり、ブラウスのボタンがずれていたこともありました。

「もう習い事、辞めさせてあげて下さい。限界だと思うので…。」

そう言ったこともあります。もちろんその声は届かず…。気づいた頃には遅いですよね。お母様はポロポロ涙を流していました。「だから言っているじゃないですか！もー知りませんよ。」と、そう言いたいくらいでした。

【あなたの望みは何ですか？】

教員時代、子どもを《誰のために頑張らせているのだろう？》そう思うことがよくありました。

勉強で1番を取ることですか？　マラソン大会で10位以内に入ることですか？　習い事で良い成績を残すことですか？　それとも、大人が思う、子どもの幸せですか？

習い事も、本人の「やりたい」や「やめたい」を分かっているのかな？　と思うこともありましたし、塾の宿題をため息をつきながら、中休みや昼休みに慌てて片付けている子もたくさん見てきました。

時折、テストでの報酬やマラソンの順位に違和感を覚えることもありました。「テストで100点取ったら500円！」といった奨励には疑問を抱きました。99点だとダメなのでしょうか。成績や順位をゴールに設定する目的は何か、習い事だって同じです。

結果だけを見てしまうお母さん、お父さんになっていませんか？　順位や成績をゴールにする目的は何ですか？

その小さな言葉が、子どもたちの成功のイメージに影響を与えます。過程や行動を

見て褒めてほしいのです。不登校になっても同じです。「今日は学校に行けたね！　頑張ったね。」という評価ではなく、行動への取り組みを褒めてほしいです。

子どもたちと接していると、「環境が人を左右する」という言葉の深さを度々痛感することがあります。まして不登校の子どもたちにとっては、周囲の環境や小さな声かけが将来を大きく左右すると言っても過言ではありません。

親御さんも不安はつきものなのは分かっています。しかし、どんな時にでも、「いつでもあなたの味方だよ。」という姿勢を忘れずに示してほしいです。真の望みである「子どもの幸せ」を優先してください。

【私たちにできること】

不登校のお子様の共通点は、《心が栄養不足》になっているということです。心のエネルギーは見えないので、気付きにくいことが多く、気づいた時には限界まできているケースが多いです。

頑張って学校に行ってほしいという気持ちも分かりますが、この《栄養不足》の治療に専念することをお勧めします。私はよく、ワイングラスに例えて話をします。しかし、ひとつだけ違うのは、中のワインが透けて見えないというのが《心》で、難しいところではあります。

言うまでもなく、人の心は、とても脆くて繊細です。不登校のお子様のワイングラスは、空っぽの状態です。この空っぽのグラスに水を入れることができるのは、ご家族です。特に、お母さんです。お子様の存在そのものから認めて、温かく包み込んであげてください。《甘やかす》とは違います。最初のうちは、学校へ行ってくれないことへの苛立ちもあり、なかなか難しいかもしれませんが、そこをなんとか頑張って欲しいのです。絶対にしてはいけないことは、「強制」「比較」「否定」です。

「〇〇しなさい！」

「〇〇くんはね、…」

「ダメ！」「無理！」「無駄！」

これです。言っていませんか？

とにかく、空っぽになったグラスに愛情をたっぷり注いでいく必要があります。

「頑張ったね。」「よくできたね。」「良かったね。」そんなあっさりした声かけではなくて、「おはよう！ 仕事の前に〇〇くんの顔が見れて、お母さん嬉しいなぁ！ 仕事が頑張れそう。ありがとうね！」

「今日は、ここを勉強したの？ １人でやったの？ すごあなぁ。難しかったでしょ？ お母さん、びっくりしちゃった。」

え⁈ と思われるかもしれませんが、こんな風に

「私、ここにいていいんだ。」

「お母さん、私のこと怒らないんだ。」

「お母さん、私のこと好きなんだ。」

そう思えるような声かけをしてあげて欲しいんです。子どもは、【不登校＝だめなこと＝ダメなことをしている自分】と、自信が無くなって空っぽのグラスを、さらにダメ。ダメ。と傷つけてしまっています。なので、そこにテープを貼っていくイメージです。

テープを貼って補強しながら、水を入れていく。この水が満たんになったら、そこからまた考えれば良いのです。学校に行くという選択もありますし、そのほかの選択もありますからね。まずは、《心の栄養不足》を治療していきましょう。

【うちの子、ダメなんですか？】

不登校のお子様をもつ親御さん、特にお母さまは、問題が大きくなった時に自分を責めてしまうことが多いです。

でも、良いんですよ。お子さんが敏感で、自分の心に正直で、心の叫びをちゃんと形として表現してくれているのですから…。タイトルにもあるように、《能力》の一つです。

不登校であることを自慢してくださいと言っているわけではありません。

しかし、考えてみてください。

周りの友だちが毎日当たり前のように行っている学校に、「行かない」という選択をするのです。

すごく勇気がいることだと思いませんか？

それができるって、すごいことだと思いませんか？

私はそう思うのです。お子様が「行かない」という選択をしたならば、「どうやって行かせるか」よりも、これから「どう過ごさせるか」や「何を伸ばすか」ということに目を向けましょう。

例えば、お母様がお勤めしていたとして…。長期の休みができた時、どんなことを考えますか？あれもしたい、これもしたい、ここへ行きたい、これを食べたい。色々な想像ができると思います。そんな感じです。学校に行っていた時間の分、何か新しいことができるかもしれないのです。

子どもは、何に興味を持つか分かりません。そこを一緒に考えたり、挑戦したりすることも面白いと思います。これは、《心の栄養不足》が治ってからの話ですけどね。可能性は無限大だと思うんです。今、インターネットもありますからね。「企業している小学生」なんかもいるわけですし…。ただひとつだけ、《社会との繋がり》だけは閉ざさないで欲しいのです。

地域の人でも良い。習い事でも良い。どこかのコミュニティに参加するでも良い。だれかと一緒に何かする機会や、家族以外と話をする時間は確保していただきたいです。これは、お子様のためでもあり、お母様のためでもあります。

学校の強みは、たくさんの人と関わり、集団の中での自分を確立していくことだと私は思っています。

集団の中で、我慢をしたり、悔しい思いをしたり、もっとこうしたい…と思ったり、その経験は、大人になる上で必要になっていく力だと思っています。ですが、場所が「学校」である必要はありません。週に1．2回でも良いので、そんな場に足を運べるようになれば良いかと思います。

【身に着けてほしい力】

勉強は大切です。しかし、勉強よりもまずはココ！と思うことがあります。それは、《心》の勉強です。ここができているとできていないとでは、大人も子どもも大違いだと私は思うのです。

自分の機嫌を自分でとったり、自分の感情を客観的に見たり感じたり、相手の考えや思いを想像したり…。家庭でも、ぜひ取り組んでいただきたいです。《自信を取り戻す》ことにもつながります。毎日、「嬉しかったこと」や「頑張ったこと」に意識を向け、家族でそのことについて話をするだけでも良いです。「このニュース、どう思う？あなただったらどうする？」そんな話でも良いと思います。きっと、新しい発見があるはずです。「この子、こんなこと考えているんだ…。」そう思うこともあるかと思います。

《心》が安定していくと、徐々に自己肯定感が上がってきます。そうすることで、勉強に対する姿勢も変わってきます。不思議です。《心》の安定は、さまざまなことに関係していくのです。

また、大人になって困らないよう、社会に出てからのことを思った教育にも力を入れていけると、面白いなと思います。コミュニケーションスキルや、問題解決能力、たくさんの本を読むとか、せっかく自由にできる時間があるのです。これを有効活用しない手はないと思います。「不登校だからダメ」ではなくて、「不登校だったからできるようになった！」を増やしていけたら良いですね。

そして、最終地点は「人に可愛がられる大人になる」ということです。何かあった時に誰かに甘えたり、素直に気持ちを伝えたりすることも大切ですし、「前向きな考え方」や「対応力」なども大切です。だからこそ、成長に欠かせない価値観や行動を教える場が必要なのです。

ここは、子どもたちが自分では勉強できない部分でもあり、勉強するにも時間がかかる部分になります。それらを、大人である私たちが作り、広げていく必要があると思っています。

【子どもたちのもつ力】

不登校の子ども達と接している中で、驚いた経験があります。私は「自分もまわりも幸せにする紙芝居」というのを伝える活動をしているのですが、ある子がそれを聞いて、「これ、お母さんに聞いてほしい。お母さん、これ全然できてないよ。苦しいと思うから、教えてあげて！」と言ってきたのです。

その子は、不登校になってからたくさんの本を読んだと言っていました。その中で、「なぜ自分が不登校になったのか、なんとなく分かった。」「重症なのは、ぼくよりもお母さんだよ。最近マシになってきたけどね」と笑いながら話してくれました。

もちろん、それまで苦しかった経験も話してくれましたが、自分自身で乗り越えようと色々考

えてきたんだという話をしてくれました。純粋に、すごいなぁ…。と思いました。そして、将来のことも楽しそうに語ってくれました。

その子は、いつかのために！と、コツコツと勉強をしていました。そして、社会に出た時に「不登校だったから…と言い訳にしたくないし、絶対に言われたくないからと、たくさんの知識を身につけるために頑張っている」と話をしてくれました。そこで、「そんなすごい知識、早く誰かに聞いてもらわなくちゃだね！」と言うと、「うん！そろそろね！」と笑顔でグッドサイン。きっと、辛かったことも乗り越え、新しいものに出会い、自信へと繋がったのですね。

子どもの力は本当にすごいなと感じた瞬間でした。傷つくこともあるけれど、何かに気づいた瞬間、割れていたグラスが直った瞬間、グラスに水が溜まった瞬間、一気に変わることができるのです。これは、子ども達が素直だからこそだと思っています。

不登校になり、すぐすぐ立ち直るということはハッキリ言って難しいです。でも、せっかくの時間や経験を活かす方法を考えられたら、変わるための大きなきっかけに

なると思います。

なぜなら、

「ぼくはダメだ。」

「私は何もできないから…。」

から、自信へと変わっていくからです。


動画編集にハマった子、プログラミングでアプリを開発すると頑張っている子、数独をものすごい早さで解く子、お母さんとメルカリを頑張っている子、iPadでデザイン画を描く子、作曲する子までたくさんの子を見てきました。たった一言、天才です。

一般的に社会と言われている「学校」からは離れてしまったものの、ある意味「社会」に進出している…。という感じでしょうか？

【お母さんへ】

お子様が不登校気味になったり、不登校になったりした時、子ども達ももちろんですが、お母さまの苦しさもよく分かります。まず、理解し、受け入れること自体が容易ではありませんよね。「そこの段階が一番辛かった」「子どもの心配もだけれど、私の心配もして欲しかった…」という声をよく耳にします。

ご主人、ご近所、ご両親。周りから色々と言われる言葉にすごく傷ついたという声も。しかし、その経験をしている人は、あなたひとりではないということです。同じような状況に立つ方や、立っている方がたくさんいらっしゃいます。1人で抱え込まず、あなたの経験や感情を共有し、お互いに支え合うことが大切だと思います。すでに起こってしまったことですので、自分を責めず、受け入れることから始めましょう。

子どもが不登校になる背後には、さまざまな複雑な要因が絡んでいます。どんな原因であれ、自分を責めたり罪悪感を感じる必要はありませんし、誰から何かを責めることもやめましょう。それをしたところで、「今」が変わるわけでは無いのですから!。それよりも、今、目の前のお子さんのためにできる最善を尽くすことが大切です。

まず、お子様とのコミュニケーションを大切にしてくださいね。お子様の抱える感情や思いに耳を傾け、非難や評価ではなく、理解と共感の態度を持つことか

気持ちに気づくことも大切です。言葉だけではなく、表情や態度も注意深く観察し、言葉にできないら始めましょう。

また、心理カウンセリングや学校のカウンセラーなど、専門のサポートを受けることで、的確なアドバイスやアプローチを得ることもできると思います。現代は、SNSやインターネットもあります。つながりも大切にし、経験を共有することで新たなアイデアや気づきを得ることもできる時代へとなってきました。

学習に関しては、多少の遅れは覚悟してください。しかし、徐々にそこも取り戻すことができますので、大丈夫です。学校に行けないことで感じる焦りや不安を軽減するために、興味を引くような活動や趣味を見つけ、そこで成功体験を積み重ねることで、子どもの自己肯定感を育むことができます。その子に合った学習方法を探してみると良いと思います。学校に行っていたら気づかないことにも、たくさん気づくことができると思います。

何よりも大切なのは、焦らずに時間をかけることです。不登校の克服は一朝一夕にはいかないものです。小さな進歩や成功を喜び、時には挫折も受け入れながら、前進する力を共に育んでいきましょう。

そして、決して希望を捨てないで下さい。子どもは、お母さんの表情や行動をよく見ています。お母さんの頑張りを見て、前に進む力を見つけていったお子さんばかりです。「大好きなあなたのために、一緒に頑張るよ。」と、見せ続けて下さい。

不安や心配があるかもしれませんが、母親はあなた１人であり、その愛が子どもにとって、力強い支えとなっています。

【未来へ】

「不登校」という言葉は、決して良い言葉では無いように思います、しかし、「不登校能力」、能力だとした場合、どうでしょう？子どもたちがこれまでとは異なる形で学び、成長していく機会でもあります。伝統的な学びの方法にこだわらず、子どもが自分のペースで進められる環境を提供し、新しい可能性を探ることができる。未来がとても楽しみでもあります。

不登校のお子さんは、じっくり話をしてみると、ものすごいことを考えていたりします。大人顔負けです。「心配して損した！」なんて経験もあります。「お母さんが心

配しすぎててびっくりしてるんです。僕大丈夫なのに…。どうしたら《大丈夫》を信じてくれますかね？」なんてことを言っていた子もいましたよ。お母さんの心配をよそに…。

きっと、お子さん自身も苦しい経験もあったでしょう。その《苦しさ》は、その子によって違います。しかし、必ず乗り越えられます。ここには、ご家族の協力は欠かせませんが…。その、苦労や努力は、今後子どもたちの未来に花を咲かせてくれます。だって、ほとんどの子が経験できない経験ができているのですから、親御さんも同じです。なかなか経験できることではありませんからね。

未来はたしかに不透明であり、不安もつきものでしょう。しかし、「きっと大丈夫！」を合言葉に、私たち大人が手を取り合い、お子様の「能力」を信じ、進んでいきましょう！

おわりに

◆教育を受けるのは国民の義務？

ある方から、次の本は、『減る登校児』というタイトルで出版しては？と言われました（笑）。

調子に追って、屁理屈を言わせてもらいますと…。

日本は、「教育を受けるのは国民の義務」というところからスタートしていると思います。

「教育を受ける権利を子どもは持っている」というのとは正反対です。

私も、そんなこと考え始めたのは、

「ゆとり教育」という訳のわからない言葉が出て来たときです。

私は、「人間は生まれて来たときはみんな天才で、生まれもってきた無限の可能性を成果の実現という目的のために、手段として自己啓発を行うのが教育だ」と思っています。

分かりやすい例で言えば、歌舞伎の役者さんとはスポーツ選手に多いと思います。

なにゆえに、6歳になれば、義務教育を強制され、学校に連れていかれるのか？

ということです。


そんな素朴な疑問が湧いているのです。

教育というのは、本人の限りない情熱と、限りない意欲と、しっかりとした決意と、はっきりとした意志がなければ、受けることは不可能ではないのか？

義務教育が、天才の可能性の芽を摘んでいるのではないのか？

芽をどんどん摘んで、小さくまとめてしまう。


つまり、盆栽じゃなくて、凡才にしてしまっていると思うのです（笑）。

9年もの間、何かを丸暗記させ、テストで脅し、内申書で脅し、選択の余地がないのです。これが民主主義か？と思うのです。

◆塾通い？

とにかく教室に連れていかれ、テストと競争とそれの毎日です。その上、両親にも忠実にして、さらには、塾通いの子もいます。

私は有名進学塾で講師をしていたこともありますが、毎日が自己矛盾でした。

子どもたちには、「自分のために勉強したい奴には、俺は教える気はない」と宣言していました。

「社会に役に立ちたい、人の役に立ちたい、そのために勉強したいんだという子には、心から教えたい」

みんな目を丸くしていました。

学校に今は、スクールカウンセラーがいるようですが、どこまで子どもたちの味方でいられるのか、まったく疑問です。

現実は義務教育があり、中高一貫教育が叫ばれ、同時に保健室登校、不登校、登校拒否、いじめ、自殺、殺人まで…。企業はとうの昔に学歴無用論を打ち出し、採用後、社内教育制度をもち、再教育に余念がありません。

一体、学校教育ってなんなの？ と思いませんか？

さらには、奨学金の取り立ての問題もあり…。

一体何をやっているのでしょうね。私たちは…。


子どもが不登校になって、初めて思考をするのでしょうか？

それとも、何も思考しないまま、流れに身を任せて生きていくのでしょうか？

◆「学ぶ」と「教える」

「教育」という言葉について考えると、「教え育む」、「教え育てる」という考え方は、**視点が教える側**にあります。


視点を変更して、**学ぶ側**でみてみたらどうなるでしょうか？ 教えられる側は、「教え」として与えられた事について、自分自身で学ばなければならないと思います。

そうすると、

「学んで育つ」といった言葉になるのでしょうか？

「教える」と「学ぶ」の間に、距離があります。

「学育」というような概念（言葉）が必要ではないでしょうか？


大学生や社会人で上手くいっているチームをみればわかります。ラクビーやサッカーの監督と選手の関係をみていても、いいチームの時は、「教育」と「学育」の両者がバランスよく機能しているように感じます。

自己教育力という表現では、説明が足りないと思います。

「与えられる方には不満が残る」「与える方に優越感が出やすい」とよく聞きます。言う通りやっていればいいんだ！　というのは、一方通行的な表現になります。かといって、「自分で考えてやってみろ！」では、学びに来ている意味がありません。

「教育」と「学育」の両者がバランスよく機能しているか否かを、教える側も教わる側も意識するのがいいのではないか？

本書のお二人、立尾 信之介氏、上田 きえ氏のような方の実践や考え方が、これからの日本の役に立つことを心から期待します。

２０２４年７月７日

万代宝書房 釣部人裕

【フリースクール「このいろ楠浦校」 熊本県天草市

2023 年 4 月に、学校に通うことができない児童生徒や、授業に出ることが難しい児童生徒を対象に、フリースクール「このいろ楠浦校」を開校しました。

フリースクール開校のきっかけは、9 年間通信制高校に勤務し、たくさんの不登校と言われる子どもたちと関わりながら、時代の変化に対応しづらい子どもたちに別の視点を持った教育の場が必要だと感じたからです。

このいろ楠浦校の教育目標は、①子ども中心の教育、②遊学一致、③輝く大人との出会いを掲げています。現在登録している子どもたちは 25 名で、毎日 10 名前後の子どもたちが活動しています。

子どもたちと関わるうえで、開校当初から大切にしていることがあります。それは「子ども達の生きる自信を失わせない」ということと「可能性を信じること」です。人の原動力は「心」です。心を大切にできなければ無限の可能性も発揮できないと思っています。そんな「心」を大事に育んでいける場にしていきたいと活動しています。

フリースクールの運営に関しては、地域の方々や地元企業の協賛や寄付を募り、地域として子どもたちの教育を支えていきたいという思いから、利用料や授業料は無料です。

無料ということで、子どもたちや親御さんにとって負担やストレスが軽減でき、とても優しい教育環境が実現できています。たくさんの方々のご協力のおかげです。

このように地域一体となって新しい教育を実現できるよう、日々取り組んでいますので、フォローしていただけると嬉しいです。

フリースクールへの想いや活動記録について

Instagram

Facebook

ホームページ

〈著者プロフィール〉
立尾信之介（たちおしんのすけ）
昭和 59 年（1984 年）、熊本県天草市生まれ
熊本大学理学部環境理学科卒業
熊本県内の公立高校・中学校へ 3 年間の講師勤務の後、
平成 23 年～25 年に青年海外協力隊としてケニア国派遣
平成 25 年から 9 年間、通信制高校に教諭として勤務
令和 5 年 4 月フリースクールこのいろ楠浦校開校

〈著者プロフィール〉

上田 きえ（うえだ きえ）

山口県生まれ。 四国大学短期大学部ポピュラー音楽科卒業、大阪芸術大学音楽学科編入 大阪芸術大学音楽学科卒業、四国大学卒業後、「大好きな音楽を仕事に！」という思いから、教員免許取得の為大学へ編入。地元の小学校で 10 年間勤務。様々な経験を積みました。たくさんの気づき、学びがあり、「本当に大切なことをもっともっと届けたい！」という思いから転職を決意。

現在は、「“こころ”が変われば全てが変わる。大人が変われば子どもも変わる。大人も子どもも笑顔いっぱいでいられますように」という信念のもと、親子の悩みや不安を解消するため、 “こころ”と“からだ”の共鳴舎【とらいあす】設立。 Zoom を活用したカウンセリングを提供し、「怒らず育てる無限の能力」を日々発信している。

@TRY_US.TRY_TOMORROW

不登校能力
学校に行かない、不登校というのも能力の一つ

2024年7月7日 第1刷発行
著　者 立尾信之介・上田 きえ
発行者 釣部 人裕
発行所 万代宝書房
〒176-0002 東京都練馬区桜台 1-6-9-102
電話 080-3916-9383　FAX 03-6883-0791
ホームページ：https://bandaihoshobo.com
メール：info@bandaihoshobo.com
印刷・製本　小野高速印刷株式会社

落丁本・乱丁本は小社でお取替え致します。

ISBN 978-4-910064-95 -6 C0036

装丁　小林 由香